劉福春・李怡 主編

民國文學珍稀文獻集成

第四輯

新詩舊集影印叢編　第151冊

【羅西卷】

墳歌

香港：受匡出版部 1928 年 5 月 1 日出版

羅西 著

雜碎集

南京：拔提書店 1930 年 11 月 1 日出版

羅西 著

花木蘭文化事業有限公司

國家圖書館出版品預行編目資料

墳歌／雜碎集 羅西 著 -- 初版 -- 新北市：花木蘭文化事業有限公司，
2023〔民 112〕
82 面／194 面；19 ×26 公分
（民國文學珍稀文獻集成‧第四輯‧新詩舊集影印叢編 第 151 冊）
ISBN 978-626-344-144-6（全套：精裝）
831.8   111021633

ISBN-978-626-344-144-6

9 786263 441446

民國文學珍稀文獻集成 ‧ 第四輯 ‧ 新詩舊集影印叢編（121-160 冊）
第 151 冊

墳歌
雜碎集

著　　者　羅　西
主　　編　劉福春、李怡
企　　劃　四川大學中國詩歌研究院
　　　　　四川大學大文學學派
總 編 輯　杜潔祥
副總編輯　楊嘉樂
編輯主任　許郁翎
編　　輯　張雅淋、潘玟靜　美術編輯　陳逸婷
出　　版　花木蘭文化事業有限公司
發 行 人　高小娟
聯絡地址　235 新北市中和區中安街七二號十三樓
　　　　　電話：02-2923-1455／傳真：02-2923-1452
網　　址　http://www.huamulan.tw 信箱 service@huamulans.com
印　　刷　普羅文化出版廣告事業
初　　版　2023 年 3 月
定　　價　第四輯 121-160 冊（精裝）新台幣 100,000 元　　版權所有‧請勿翻印

墳歌

羅西　著

羅西（1908～2000），原名楊鳳岐，又名歐陽山，湖北荊州人。

受匡出版部（香港）一九二八年五月一日出版。
原書六十四開。

墳 歌 的 序 言

這是我的一首很長的抒情詩．

對於詩，我是不懂得甚麼的，因
爲我並沒有研究過一切詩的規條與法
典．我自己寫的東西，或者可以說是
韻文，都是跟着我自己的意思寫的，
我自己讀起來有時有許多地方覺得很
好的，其實這恐怕不是好，只是自己
的情感的重印罷了！同時也有些地方

自己也覺得生硬的，我也不去管牠了
·橫豎現在已經差不多出版，臨出版
才修改我以爲是不必的·

　　這首詩並不是我的詩作中最好的
一首，我希望我的好詩還沒有產生·

　　不過這首只是一首很長的抒情詩
罷了，只是一首我自許爲至情的作品
；當然是不會適合於革命文學的人們
的脾胃的·

　　　　羅西·十六年九月三十日·

墳 歌

你不要臉的女人！
今天也揭開你的面具！
呵呵，誰要留你呀？
你想去便去！

不過你應該記得，
我獻給你的香酒列比羣芳！
喝不到這樣的美酒，
竟濕潤了你的毒腸！

我獻給你的心，

就好比麗日在晴天！

我獻給你的心，

就好比藍月在海邊！

呵呵，其實我早知有今日，

我不過詐作痴呆！

你又何必裝腔作勢，

說以前你我是相愛！

你不過當我是一個物件，

拿來應你的急需！

到你有別樣物件的時候，

便可以將我拋去！

——

2

哈哈 '你還要說你是一位端莊的姑娘'

謗得比天上的女神還要高尚；

只好怨我自己的愛情，

在生命的園中白跑一躺！

或許你還要說我污辱了你，

誰敎你把肉體向我供獻？

倘若你知道我是個無賴子呀，

你爲甚把尊貴的東西當比等閑！

冬風趕着秋雲，

光明怕了黑暗；

爲甚你不擋着冬風，

只在夜中替光明嗟嘆！

————
3

呵呵，你不要臉的女人呀！
就使我叫你一聲姑娘！
你瞧你身上的罪痕吧，
那是誰種的災殃！

你對我只有譏誚，
我對你便要謙恭；
請吧，這樣的戀愛我幹不來，
對的，我自己原是迷惘！

我曉得我面前走過的女人和男子，
他們都不懷着好意！
你也是其中的一個呀，
我怎能叫你永不將我捐棄！

————
4

這時呀，呵，這時呀，

我還端立在嶺頭！

你，我感謝你喲，

還沒有誘我向深淵盲走！

這時呀，呵，這時呀，

我還延佇在峰頂！

你，我感謝你喲，

還沒有送掉了我的生命！

那怕當前就是虎口，

我也懶得伸開我的兩手；

橫豎我是個永劫的惡人，

你何必把我毒恨！

5

當然我不是一個強者！

我只可算是一條死蛇！

生前他邈然作惡！

現在却賸個空壳！

我給你的深心你不知！

反訕呪我說替你掛上了個紅字！

呵呵，甚麼把你的天瓦覆蓋？

偏偏會將好作歹！

你要我向你投降，

那你就簡直不用想！

可憐往日那一段恩情，

到今日就不能把你的心船縛定！

——
6

焦煤和黑炭總是一樣支烏！

愛情和人生總是一樣悲苦！

你去，你去！對你我無多別言！

你去，你去！對你我無多繫戀！

我見過永別在別人有那般傷悲！

我見過永別在我們有這般異味！

你既然以我爲賤狗！

我何必以你爲王后！

我縱然由髮到脚把你吻遍，

也不見得便取回你的愛憐！

就使你把愛憐還了我，

我也不能把吐了的骨頭再嚼過！

—
7

你迷我也算迷得不淺！

所有我的都算了枉然！

明月捲着褲脚在渡着淺江！

那時誰瞧得真你的模樣！

你以爲這樣可以窘我！

呵呵，我當然記得我的情歌！

那有甚麼奇異？

不錯，那是我唱的：

"我比你以湖裏的明月，

因爲你和她一樣無邪！

可是呀明月只是這般冷，

她怎能和你相爭！

——
8

"我比你以天上的明星，
因為你和她一樣娉婷！
可是呀明星只昇這樣癡，
她怎能和我相依！

"我比你以我的妻房，
因為你委身於我和她一樣！
可是呀妻房只是過去的同枝鳥，
我一些兒她也難知曉！

"我比你以我的妹妹和姐姐，
她們對我都沒有你這樣親熱！
她們只唼吻了我的外形，
你却吸住我的內心！

———
9

"我比你以我的父親和母親，
因為你們愛我都以至尊之真性！
可是他們對我都沒完全的瞭解；
呵，這畸形的眷愛！

"我重覆比你以含笑的紅花，
因為你們對我都以勳籍相加！
可是呀她們都是有魂無體，
怎當得你亭亭玉立！

"我比你以午夜的鳴鶯，
因為你們都有宛轉的嬌聲！
可是呀她們都是有體無魂，
怎當得你蜜般把我滋潤！

———
10

"萬千古昔的佳人，

像西施，Helen 與太眞！

可是她們都剩了一堆腐骨，

怎比得你肌柔如酥！

"你白皙的暖肉直是溫柔的雪片，

你烏光的眸子直是黑綠的洗染！

你脣兒是玫瑰般紅，

你髮兒是輕雲般鬆！

"你待我就是這般溫存，

我輭得綠芽兒般柔順！

你兩臂和兩股就像困人的石牢，

在其中把我緊緊摟抱！

11

"你的涎兒是這樣滑香！
你的陰道是這樣柔長！
呵呵，我們合歡的時候，
我的魂兒就像在無邊的蜜野裏疾走！

"你羞時羞得那麼凝紅，
你顫時顫得那麼聳動！
呵呵，每當我們赤條條地共臥，
我想吞了你又想你吞了我！

"你怒時就像無言的天使，
你哭時就像花神的脹至！
你哭時就像雨中的小樹，
你愁時就像陰晦的明珠！

———
12

"姑娘，有甚麼能把你形容恰似？

除了那神秘的無形之字！

姑娘，你每個毛管都含有我的生命的
要素！

你一根頭髮可以換却我一個頭顱！"

哈哈,這每個字都是我崇敬你的呼聲！

如今，這一切都成過去！

我將永不向人訴說我的奇遇，

我只空撲了無數墳頭的野螢！

其實這些螢光都是點點的鬼火！

你再不用把我騙欺！

以爲你有力敎我長跪不起！

如今你奈我何！

13

你還在我面前詐表笑容？
其實我把你所有都識破！
你詐了我唱詛咒的喜歌，
你詐了我在把我玩弄！

難道教我再上尖鉤？
你裝了這一派假臉！
我倆相見遠在四年之前，
可惜這是四年之後！

你記否當年的姑娘？
如今已一個個都屬人所有！
我只醉心於你的吻香，
呵，此外我尚有何求？

一一
二

童年的情緒，
此時已盡付流水！
戀愛的悽惶，
何時能盡付長江？

我並不求什麼名譽，
名譽是醜惡的衣裳！
我並不想你隨我唱：
"情死"呀要遠離故鄉！

想起呀你當年穿着綠袴，
頭上蓋着排粉紅的珍珠！
我當着鮮花般把你保護，
但怕你會因憔悴而殤殂！

別了，姑娘！

我不必將餘情向你伸誇！

別了，悵惶！

我不必將愛馬讓你騎跨！

呵呵，你幾曾見我眼中帶淚！

呵呵，你幾曾見我含愁相對！

這樣在我原沒有悲哀，

因爲我早知牠會破壞！

愛情永莫會永遠存在！

牠當要漸漸自趨破壞！

悲哀在我又可說常慣！

有誰爲我汲取些慰安！

——
16

青年的夢幻，

長存我心中！

枕邊尋破夢，

命運相欺殘！

我唱不出動人的哀歌；

我和你永永隔絕！

我又有甚麼喜悅？

我的悟心常比愛情多！

你對我這樣誇矜！

你更藐視了我的生命！

我對你眞的全不明瞭？

你喲你竟忍心向別人微笑！

17

我前時抱摟你的纖腰，

我的唇兒把你的唇兒輕搖！

到處都是落花，

為何我們的蝴蝶永不還家！

請莫把譏諷藏在笑裏，

我當然分不清木偶與玉姬！

清風真可當比玉人，

他們都是一樣使人惱恨！

以前你向我說過：

你愛讀我的詩篇，

你報我以眼淚漣漣！

如今呀如何，如何？

————

18

我並不會追悔！
其實我並莫負罪！
你已經將我儘量悔弄，
還要和我指誓向天公！

大概你以為我不久將歸黃土，
你怕犧牲了你的青春！
我可以將我的情火生吞，
再不願將牠向你嘔吐！

你們說薄情我就真個薄情，
你有甚麼權利讀我的心經！
"經"裏都是些褻瀆的文字喲，
"經"外滿絡以血絲！

19

我只好自怨我不善抒情！

不然我要將牠細細唱給你聽！

而今又成往事，

獨在囘味我倆情愛正濃時！

你也該懂得覆水不能收！

過往事我們正無用囘首！

縱使蒼天能够常晴，

但是喲，愛情能够常新？

你要怨我，罵我；

可以容許你在背地！

那只是空費力喲，

想把壓着我倆的障礙之石移落！

———
20

誰要你勸我珍重？

我倆此後永永不能笑逢！

愛情現在正如嬌艷無倫的女尼，

早已被送入上帝的神宮！

呵，你看晴雷驚散密雨，

凝陽重據着天空，

他懶懶地燭照人間，

濕雲蒸鬱在空中．

你不用向我啟哀懇之詞！

你不過想將我播弄！

我獨自宰我破碎的靈魂，

我不願他人與共！

21

你不用向我致哀懇之詞！

你只說得這般好聽：

哥呀，那只是一時的錯處，

為何你貪忍心拋棄我倆的溫情？

"我是一個弱者，

我永永要需人的幫助！

你為何撇棄了你的愛者，

讓我獨個兒這般苦楚？

"否曾你記起當初！

我和你同遊同學！

你給我穿一條覩晉珠的項練，

我贈你以一把小小的牙梳！

———
22

"那時我們的童心是多麼葱蘢！
而今又成了昨夜的幻夢！
今天你我又要決絕，
三年之前呀我們正欣喜着重逢！

"難道從此我倆便永莫重逢，
除了在陰森的地府之中！
誰能喲把往事帶到我面前，
好讓含淚再和他相見！

"哥呀，我曾將我的處女之身做犧牲！
供獻在你的神魂之前！
當時你也說過永不負我，
爲何今日又有這般的慘變？

—————
23

"你也太忍心，
"你不當那是海誓山盟！
只承認你當時恁般說，
是情慾銜燃的結果！

"我曉得這不是你的情薄！
那完全是我的錯過！
我不該令你生疑，
我不該冷落了你！

"我更悔我一時不慎，
又失身給別人！
可是呀我何嘗是不要臉的女人！
當初我也曾萬般謹慎！

524

"回來吧！假使我死時，
我的墳台要你修掃！
回來吧！假使我生時！
我弱小的身軀要投進你的懷抱！"

你不要臉的女人，
我真佩服你的聰明！
不是你這般無恥，
你怎說得這般好聽！

對了，錯就是錯！
於你並不相干！
我只跪請那空中的怒雲，
更要突起眸子向人覰細看！

——
25

哦哦！你去了，你負氣地去了！

唉唉！我的可愛的小姑娘！

你瞧見我對面你時那般傲慢，

你那里瞧見你去後我那般神傷！

唉唉！我的可愛的小姑娘，

我倆的情愛就從此死殂！

我有什麼臉再見世人，

我正如他們所說的歹人一樣！

今晚連天的人雨，

你竟不肯在我這里留住！

你只說你不情願，

你說不出拒絕我的原故！

26

好！你這樣對我好算你意志的堅强！

你那里顧得到你對手的悲傷！

我也正要做個自由人，

我也不能再在你的羅網中久困！

你講遍千篇巧語與花言！

你說你對我的愛情並未中變！

你的手段真叫我震顫，

難道你叫我再下跪在你跟前？

值得感謝你的是你所贈與的悲哀！

我曉得你的陰謀是想將我前途破壞！

哦哦，你還對我假情假義，

想攫取一切絕對的便宜！

——
27

請莫這般自豪！

以為經已把我的人格催掃！

唉唉！唉唉！我倆的情義就斷在今宵

相逢怕只好等在冥地陰曹！

我倆的愛情，

我已經用金錢證明！

前天我送了兩樣東西給你，

你對我便分外殷懃！

唉唉，這麼大的世界！

唉唉，這麼廣的人間！

誰當真把我憐，

誰當真把我愛！

——

28

S.S.君你曾說他不足相交！

你現在對他比我百倍好！

S,T.君你曾說他十分討厭！

你現在對他却這般纏綿！

唉唉！倘若愛情的代價是金錢！

我又何必多言？

我縱有滿胸愁苦，

我又憑何伸訴？

唉唉！倘若愛情是發生於求利！

那麼我情甘將愛情毀棄！

我縱自牢騷滿腹，

也決不作短嘆長呼！

—— ——
29

唉唉！倘若愛情沒有犧牲！

愛情有甚麼存在的可能！

這條達到人生的"完成之路"，

誰不曉得有百般的險阻？

哦哦！我一生合是這般孤獨！

有誰能助我一哭！

生命換不到黃金，

黃金緊壓着生命！

我原曉得那是死之蜜露！

我又怎能頻頻怨苦！

唉唉，那夢裏殘落的孤芳，

有誰在夢裏將她的殘骸埋葬！

——

30

我完全把你引進了迷路！
你，我也再不想把你怨毒！
呵，當初你並非全不知曉，
萬事只好等待死滅在明朝！

你有你華貴的靈魂！
你怎忍將自己的生命讓別人活吞！
哦哦，今晚的露水！
哦哦，明朝的眼淚！

天堂的百花縱然盡開！
人間的春天還未到來！
你看，那化斑蛇向你搖頭，
他叫你再不要忍耐！

31

你那晚把我的人格毀壞，

我就叫你不要再到我這裏！

我現在不只對人生懶怠！

呵，我現在對情愛倦疲！

是你把我侮辱，

是你把我中傷；

現在只好撇開，

等到末日算賬！

咦，這細雨！

咦，這悲風！

卅年一般地摧折嫩芽，

辜負了當年選下的愛種！

── 32 ──

哦哦，這戀愛是畸形！

為甚每個黃昏，

都是晝夜不分明！

不分明呀一樣渾沌！

當年撒下了野火，

反燒了自己的愛果！

呵，這一片虛白的殘心！

正如月芽兒臨照生命！

唉唉，這一別怕算永久！

傷懷淚夜夜空流！

我想淚之殘痕託付花片，

命她乘風飄到你的房間！

———

33

飄到你的窗前！

你的玻璃葉兒深掩！

你的門兒又緊鎖，

她永莫能飄到你的房間！

愛情縱自等閑，

怎當得呀這仇深怨重！

果然春風是要消逝的呀，

我當初識錯了春風！

心裏是陰雲！

淚兒是雨珠！

明知夜深是哀愁倍常，

為甚偏要在夜深把往事留住？

———
34

唉唉！我曉得天公沒有把我們待薄！

這種種都是自己作惡！

我不信天旣生人，

又要降愁苦在人身！

我相信人間存在着惡魔！

他們手裏拿着那些命運之鎖，

因此我就使長埋在愁中，

也難將哀感遣送！

雨是所有農夫的甘露！

雨是一切苦力的兇徒！

人們只會怨天神，

不知神比人還多怨怒！

——

35

女人是惡魔的爪牙！
她們的靈魂黑如烏鴉！
呵，我呦已再無可奈何，
惟有獨個兒自唱墳歌！

"當我獨坐墳頭，
獨唱墳歌！
我含淚問天，
罪在淚前飛過！

"你四野的陰林！
你們都來諦聽！
不准擾亂我的哀歌！
更不能咨嗟和錯愕！

—— 36 ——

"你所有的鳴蟲！
都請放下你們的絃弓！
聽我這歪斜的謔言！
聽我這灰死的詩篇！

"你陰險的穹蒼！
我對你原只有渺茫！
今日我走到末路，
看你遠對我這般挖苦！

"你不平的地母，
你臉上老是充滿黑赤的色素！
我的小手指將長撫我的衣襟，
我永永和你接吻！

37

"你浩蕩的江河，

立刻停息你們的碧波！

我不能長伴你們，

還讓這小墳埋葬了我！

"你所有的崇嶺與峻嶽！

枉費你怎般巍峨！

今日我的靈魂遠跕上高山，

明日綠草便覆蓋了我的屍壳！

"所有人間的男男女女，

你們都是我以前的伴侶！

你們不必愁悶，

我在陰間會娛樂你們！

38

"你娟素的蘭花，

可否相從於地下？

你羞入的玫瑰，

難道此後便永永相違？

"面前的桂花，

她已經倒睡在泥沙！

"唉唉，我親愛的桂妹喲，

你是在臥看雲霞？

'你一切走獸與飛禽！

都請暫時住了你們的哀鳴！

你們本應和我一同歷劫，

我如今已先你們而殂謝！

39

"哦哦，一切都涕淚泫然！

同盟的誓書我們要泚血點染！

聽！河伯的泠泠，

在搖弄着喪鈴！

哦哦，風姨呼呼地從山趕背來，

香汗佈滿了她的亂額！

聽呀！聽呀！聽我唱歌！

你們都請沉默喲沉默！"

1

埋葬呀埋葬！

我將與這些白骨同列同行！

我長望着耿耿的星河！

我長離開人類的漩渦！

40

告別呀告別！

你一切的眾生！

呵，這三寸的黃葉，

將長載我的孤影！

飄飛呀飄飛！

我將乘這黃葉以飄飛！

這時呀是節正黃梅！

我的墳頭呀是雨打殘碑！

這無情的急雨，

有情地把我安慰！

她是令我身心清爽的姐姐，

我是她的弟弟！

2

———

41

我是這麼衰敗！

我是充滿罪惡！

未死降臨之前，

先要埋葬那自我！

自我呀，呵，自我！

不要再翱翔於碧落！

你且為我先做犧牲！

我的眼淚已經為你而空等！

孤居寂寞時，

你說憔悴欲死！

他日翻土騰空，

氣息化長龍！

———

42

今天傾斜了生命的鐵塔！

塔下原是"自我的黃沙"！

明天這宇宙虛寂，

墓門也給青籐交織！

3

我昨夜夢入天門，

見有許多白體的女人在跪拜尊神！

我的獻禮是"高傲"！

神只對我微笑！

他用手撫按我的胸襟！

他用光撫按我的火心！

他賜我以和血的生命，

說是能治好我的"人病"！

———

43

我問他以毀滅的人豪！

神只對我微笑！

我問他以狂妄的高傲！

神只對我微笑！

我遍觀那些跪着的女人！

見她們都是兩臂前伸！

呵，這些都是死殭！

這些都是幻相！

4

狂舞！狂舞！狂舞！

狂舞以終古！

跳動！跳動！跳動！

跳動愁悶中！

————
44

黑色的狂舞！

我緊摟着流雲！

紫色的跳動！

我跪吻着西天的霞君！

我的碑面都繡滿蘭花！

我的墓週要把垂楊栽遍！

讓他日薰風多情，

携楊柳以頻咬蘭面！

死！死！死！

是你們在鋸木為棺？

亡！亡！亡！

是你們在吹弄喪管？

5

霎時間滿山哀昔！

霎時聞滿林悲唳！

你有情的衆生呀！

不要學人們揮淚！

我凝眸望着空海，

海邊傳來萬里的囂喧！

我低頭望着大地，

大地變了枯寂的荒園！

這時我恢復了呀一點人氣！

我痛哭着人生百事悲！

我更深痛這番別離！

空剩了喲空剩如許的愴悷！

46

生和死的分界！

那里是靈犀存在！

獨哭明月中！

淚影更葱蘢！

6

休將愛情向殭屍提起！

我將奔赴幽悅的明宮！

我正如落水的蜘蛛，

滿腹的情絲向那兒迎送？

我的生命已經不再起廻瀾！

那是證明他已經死滅！

縱使我的靈魂是無瑕的淨潔，

對鏡兒也要使我萬分羞慚！

———

47

呵！生命的迴瀾！

呵！對鏡兒羞慚！

今天在這里總結！

因為我不久便要死滅！

我的宇宙既沒有"啓明"，

也沒有燦然的"長庚"！

長是這般昏黑！

長是這般冷！
　　　　　7
假使我死後，

在那涼人的五更！

我定將泥蘸珠露！

把我的哀歌寫成！

———
48

那時是四野無聲！
我就把我的卑污創造！
我將心血織在箕上，
讓人們把牠焚掃！

在衆鳥噪林之先，
我把我的哀歌獨唱！
不惜驚破了他們的好夢，
我只要我的歌聲清朗！

我要唱到上帝垂淚！
我要唱到太陽步停！
人們聽了這歌兒，
便要長睡不醒！

49

8

我不能向人間委曲求全！
我不能使人們如穎！
因此我便永和人們離開，
因此我便永和人們違遠！

我本想和他們接觸和親近，

但他們總和我離開與違遠！

世人都把我擯棄，

呵，我還有甚麼留戀！

為追趕那驕人的落日！

我將乘着西去的長風！

為眺望那逝去的愛侶！

我將攀着綺麗的彩虹！

50

我舒洩了最後一口怨氣，

已經沒有殘暴的餘勇！

我採得所有花中之最香者，

跪向我的碑門獻奉！

9

淚將永和墨一般濃！

笑將永和血一般赤！

如今淚笑都成空！

却剩了一個活屍！

這活屍也將永永掩埋！

他的脣兒長吻黃土！

他墳頭的含媚的白花，

如今也披了一身縞素！

51

此後在狂風暴雨之前，

照耀我的有一條條的流電！

不怕是四野寥落，

枯葉會解我寂寞！

可親的眾鳥呀！

當璨爛的金輪徐升，

在濕香的早晨，

勞煩你們喚我幾聲！
10
當建設的毀滅呀！

當毀滅的建設呀！

已消蝕的愛悅呀！

已褪紅的慘白呀！

52

若將生命比以小草呀！

小草自比生命好！

生命只是這般下賤呀！

小草還能欣然滋生在孤島！

我在前曾夢入孤島！

見眾草都在把生命創造！

她們都充滿悅意地在苟生，

沒有物外的煎熬！

我回到世界，

我禁不住萬分焦燥！

人呵！你低等的動物喲！

生命阿！生命不如草！

——

53

11

我向那里逃避？
除了是在夢境！
我願長在夢裡微笑，
可恨好夢呵終于要醒！

如今我無悔，

如今我無愁；

趁天上還有微光，

快把死趣享受！

在人間要受人欺凌！

不如在這兒給牛羊踐踏！

他們雖毀了我的墓碑，

我到底不願受同類的壓霸！

———
54

我如今在入墓之前，

忍不住我要狂笑！

千年後誰敢把我的墓地掘開，

那我的笑痕呀總會給他找到！

12

這里我有一瓶紅酒！

來給我一杯杯注上！

把你的影兒印在酒中，

把酒兒呀慢慢地親嘗！

舞呀！舞呀！舞呀！舞呀！

來輿起你們的葬舞！

戴起你們那綠葉白花的香冠！

穿起你們那紅霓紫霞的衣服！

55

不用相憐以同病！

不用謝主人的豪情！

唱呀唱呀不要停，

這宇宙不久怕要歸寂靜！

呵，是人類在作戰？

那里的戰琴鏗鏘！

呵，是人類在作樂？

那里的笙管淒涼！

13

哦哦，地是我們的睡牀！

天是我們的棺蓋！

我們有這奇麗的安息之地，

何用往人間尋找木林！

56

我們可以消溶悼古的哀念！

我們可以禁制希冀的情懷！

暮靄是我們的炊煙，

四野是我們的花臺！

白雪是我們的棉被！

玉露是我們的芳酒！

澄天是我們的晶鏡！

碧溪是我們的漱流！

星子是我們的小燭！

明月是我們的綠燈！

炎陽是我們的火爐！

迅雷是我們的琴聲！

57

14

我們更將江河當比腸胃！
我們更將山嶽當比高冠！
狂風像我門吹氣！
瀑布像我們流汗！

暴雨是我們的眼淚！
林樹是我門的毛髮！
人類是我們的病菌！
屋宇是我們的指甲！

我們的皮面雖像冷凝，
我們的內心長在燃燒！
像火山般裂開了心胸！
便有石漿向人間傾澆！

—

58

我們有宇宙，

不像人類的渺小！

人類的行為，

直挑引我們發笑！

15

剪斷了美人的柔髮，

截下了美人的玉手！

休了吧！休了吧！

我已經歌破嗌喉！

奪取了美人的靈魂，

捧開了美人的妖頭！

算了吧！算了吧！

我己經歌破嗌喉！

59

我雖能歌，

但只能歌拙劣的一首！

停了吧！停了吧！

我己經歌破嚨喉！

我所能唱，

我己經唱了所有！

請了吧！請了吧！

我已經歌破嚨喉！

～～～～～～～

你不要臉的女人！

今天也揭開你的面具！

呵呵，誰要留你呀？

你想去便去！

― ―

60

哦哦！你去了，你負氣地去了！

唉唉！我的可愛的小姑娘！

你瞧見我面對你時那般傲慢，

你那里瞧見你去後我那般神傷！

試問我有何對不住你，

你要將我來這般侮辱！

唉唉！以則種種都休了！

破壞了的恩情安能續！

唉唉，你前次把我決絕時，

我希望你還會回頭！

如今花瓣已辭枝，

往事呀不堪回首！

———
61

我縱有萬種幽情，

憑誰領受？

我縱發些兒怨恨，

覆水也難收！

我縱有萬種怨詬！

我如今也不想對你明講！

記取孤月燭照時，

那泣訴的寒江！

人類便永是卑污！

人類便永是矛盾！

我更自羞落伍，

那敢累你沉淪！

62

我曉得我不能生活於人間！

人們也太和我作對！

這滿天的黑雲呵，

那里去找祥瑞！

誰也是皮包着骨頭，

骨頭包着罪惡！

有一個這般高潔的你，

為何又生個卑污的我！

我夜夜慘夢！

夢長恨更長！

就使有短短的幾個好夢，

也難慰我醒後心傷！

——

63

我不敢把你侵犯，

我那夜坐守你的牀畔！

你夢中的狂言，

更使我決心和幽靈作伴！

呵，你這般作弄我，

當初愛我是否出于無心！

你狠心把我的命弦撕斷，

從那里去彈出怡悅的聲音．

倘若人類是這般殘忍，

我願作報曉的鳴雞！

倘若我受了苦痛，

我也好拼命哀啼！

———

64

苦雨呀苦雨！

你比人類還要情殷！

當一切都是陰晦，

獨你賜我以諧和的琴音！

我是在風雨肆虐的荒山中，

我是個迷路的小羊！

天呀你是愛育萬物，

為甚麼把我帶離了故鄉！

唉唉！月下的情言，

唉唉！燈前的默醟！

可憐一筆竟勾銷，

雖然我倆都未死！

—一—

65

我能一無悔恨？

我能一無怨尤？

情誓吐自她脣中！

怎可以把牠賣售！

我中了愛情的毒箭！

我中了愛情的藤鞭！

當頭有待擷的芬芳，

我只能匍匐到墳前！

我還是呀踟躕不前！

我怕了毒箭與藤鞭！

呵呵！不要以為我悔恨！

你不要臉的女人！

66

倘有怨恨我也不會向你舒洩！

眼見過了清明又到了蒲節！

樹樹綴上半羞的綠桃，

荔枝也開到妃子笑！

唉唉！我惟有對疾雨的天空慘嘯！

我要鎗斃了我心中的寂寥！

我要心體勻和着屍體，

一齊都讓火燒了！

呵，心傷呀心傷！

呵，埋葬呀埋葬！

我拜別了一切與日光！

挑起了喲我那哀戚的行裝！

十六年六月一日作畢

——

67

68

壹角小叢書

情書一束	羅西譯
墳　　歌	羅西作
怎　樣　愛	方秋舫譯
吻及其他	柴霍夫著
慕門之前	昶超作
節育與文明	袁振英著
社會學小史	袁振英著
愛情何價	魯民譯
巴黎的浪漫	魯民譯
現代社會主義的文學	袁振英著
社會主義是什麼	袁振英著
定情之夕	倪家翔作

一 角 小 叢 書

月 奴	倪家翔作
關于男人	羅 西 譯
婚後的幸福	倪家翔譯
妻的懺悔	譚文耀譯
鵝媽媽	容 融 譯
江北紀遊	鄭天健著
兩性的枉梏	震 瀛 譯
政治的社會學	震 瀛 譯
社會學問題	晨 瀛 譯
社會學的產生史	震 瀛 譯
社會心理學	震 瀛 譯
雛	容 融 著

廣州文學會叢書

宮仙

每冊實售大洋三角

墳紅

每冊實售大洋五角

屍嬰

每冊實售大洋五角

廣州文學會叢書

湖畔的少女

每 冊 實 售 大 洋 　 角

餘 灰 集

每 冊 實 售 大 洋 　 角

桃 君 的 情 人

羅 西 著　　　　長篇小說集

廣州文學會標點校訂

何典

每冊實洋五角

這本書是吳稚暉先生做文章的老師，吳先生常說：他初做文章，在小書攤上得了一部小書，學了一個訣竅，便是這本何典了·

此書是清乾嘉間上邑張南莊先生原著·他用極蠢俗的俚言土語，描寫人間社會的卑鄙醜齪，有聲有色，寓意深遠·現經廣州文學會從新標點校訂，黃天石鄭天健袁振英和袁昶超都寫了一篇序，更爲全書生色不少·

實社叢書

袁振英編

牧師與魔鬼

俄法美短篇小說名著　　實洋四角

罪與罰

美國胡黛蓮女士源著　　實洋二角

易卜生傳

增訂四版　　每冊實洋三角

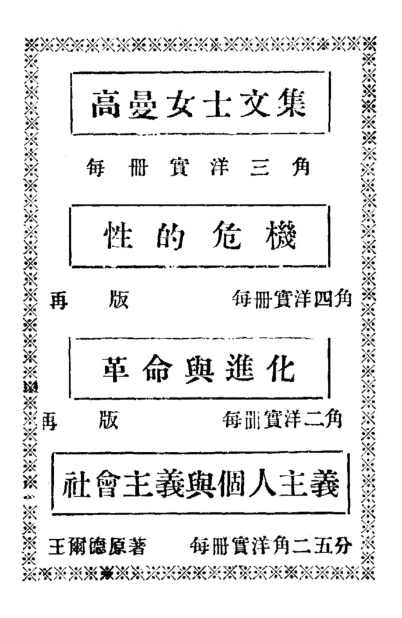

高曼女士文集

每冊實洋三角

性 的 危 機

再 版　　　　　每冊實洋四角

革命與進化

再 版　　　　　每冊實洋二角

社會主義與個人主義

王爾德原著　　　每冊實洋角二五分

付 印:—— 1928. 4. 30.

出 版:—— 1928. 5. 1.

印 數:—— 1 —— 1500.

一角小叢書第弍種

墳　歌

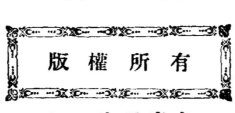

版 權 所 有

每冊實洋壹角

受匡出版部印行

香 港:——中環砵甸乍街三十三號三樓

廣 州:—— 惠愛路昌興新街二十號

新 書 預 告

（深 春 的 落 葉）

創 作 小 說 集　　龍 實 秀 著

戀　春

歐 美 名 家 詩 集　　中 英 對 照

黃 天 石 譯

雜碎集

羅西 著

拔提書店（南京）一九三〇年十一月一日出版。
原書三十二開。

廣 州 文 學 會 叢 書

雜　　碎

羅　西　作

羅 西 ： 雜 碎 集

實 價 大 洋 六 角

一九三〇十月一日付印

一九三〇十一月一日出版

初 版 1 —— 2 0 0 0

雜　　碎　　集

本書著者底著作

1. 玫瑰殘了(長篇小說)

2. 桃君的情人(長篇小說)

3. 你去吧!(長篇小說)

4. 蓮蓉月(長篇小說)

5. 愛之奔流(長篇小說)

6. 蜜絲紅(長篇小說)

7. 流浪人的筆迹(短篇小說)

8. 再會吧黑貓!(短篇小說)

9. 鐘手(短篇小說)

10 雜碎集(詩歌論文集)

雜碎集目錄

附後記一篇

第 一 部

批 評 和 雜 文

洪靈菲的"歸家"

據我底朋友說：洪靈菲先生是一個普羅文藝
的作者。他又說，他讀過"流亡，"那本書不好。"流
亡"究竟好不好，我沒有讀過，不敢說；可是爲了
"普羅文藝"四個字，我到底讀過了他的"歸家"。

從一九二八年開始，創造社出版的"創造"和
"文化"兩種月刊首先以全力提倡"普羅文藝"。跟

着從事"普羅革命"的青年們也陸續出版了不少的大大小小的刊物，響應着"創造"與"文化"；後來他們便會合着向"語絲派"底代表魯迅先生攻擊，想打倒支配近三年來中國文壇底偶像，以達到宣傳"普羅文藝"的目的。經過了這次紛爭以後，中國底文壇逐形成了幾個有組織或無組織的大集團，像"語絲派"，"普羅派""狂飆派"，"文學研究會派"，"唯美派"……等等。各以他們底大體相同的或作風相似的努力去充實中國底空虛的文壇，於是，在各個旗幟下面也就產生了許多作者和許多向新的目標努力接近的作品。一九二八年中，文壇成了一個小說底全盛時代了，一九二九年雖然因為中國內地戰事頗劇烈，然而上半年也出版了不少小說。後半年聽說是各書局都不歡迎小說稿件，而以社會科學稿件代替了牠們，這實在是很值得注意和欣幸的現象！年來的中國小說界真延太粗濫而且太胡鬧了，但讀者們底腦子裏充塞了糞草和沙石，一點都消化不動。在這種情形下面，相當時間的休息是必要的了。

　　我很抱歉，只看了一部"歸家"便來批評牠底作者。但我第一沒有許多工夫去讀他的全部作品，第二像作者自己說的："……但取材方面，和文章立場方面，總可以說是一種新的傾向，和一種新的努力。"那麼，在作者底整個生命的內容還沒有盡量地表露之前，我們去批評他底"新的傾向"和"新的努力"的方向和價值，就是只看了他一部作品，材料也就很夠了。因為他既然有他底一致的傾向和努力，又在他底"傾向和努力"的階段中，我相信這是以代表他底其餘的作品的。

　　在"歸家"裏面，作者開首寫了一篇與本書沒甚關係的序文。這序文告訴讀者以關於"流亡"的事情，我想，除了學着郁達夫說自己甯願給衆人做

4　　　　　　　　　洪靈菲的歸家

橋檬的話以外，就是說給讀者聽："流亡"是失敗了的，可是這本書還不錯。——否則，寫一篇這樣的序文放在頭上幹甚麼呢！

"歸家"包含了六篇東西——這裏本來應該說"六篇小說"，可是在沒有定下"凡有普羅字樣的文字都是普羅小說"之前，我們且慢承認是小說吧。——那是：在木筏上，在洪流中，在俱樂部裏面，路上，女孩，歸家。讓我們分開來看看：

"在木筏上"說的是一個青年從中國跑到B京(是在南洋的一個地方。)對面，M河岸邊的木筏上面生活着的事情。他在那里遇見了他的同鄉和親戚，有一個雨天，他們談了一些話，洗了一個澡，他回想起他們家裏的景況等等。

如果我不是抱着忍耐心強迫自己底眼睛看下去的話，這篇東西眞是令人不能讀完的！我不想拿壞的字眼來嘲罵洪先生，可是我實在沒有法子承

認那是一篇小說。從這種縱有新鮮的題材而尚不
能給予讀者以一種滿足的吸住力的弱點看來，我
們得到兩個結論：一是作者沒有跑進木筏生活底
內面，故所表現的只是不完滿的觀察——也許連
觀察都說不上，只是一種很忽略的"粗看"而已。一
是作者沒有抓着一個故事底中心而給牠以小說底
形式的活動的機會。作者如果能夠長期間地住在
木筏上面，或者到"山巴"內面行行船，再將各種材
料綜合起來，細細地加以選擇和支配，用比較細心
的手腕描寫出來，那麼，一定會比現在的形式和內
容好得多的。人物的不清楚，內心描寫和環境描寫
不真確，對話不熟練，不可解的土語太多，這都是
本篇失敗的大原因。我想，本篇的材料如果落在寫
"曾經爲人的動物"的高爾基的手裏，他一定會使
旭高，豎弓，亞木，粗狗，甚至妹子，都變了可愛的
人物。令人盡量地表出同情。

6　　　　　　　　洪靈菲的歸家

這里我有一句插話：大衆，集團，某一個階級，這些都是代表許多"個人"底總量的名詞。有了大衆底衆性，就也缺不了個體底外性，譬如我們說某一個工廠裏的工人很痛苦，自然是大家都痛苦；而在文藝上我們是不以此爲滿足的。我們要看到構成這總痛苦的各個不同的分痛苦，同時我們還要看這種痛苦在各個人身上的各個不同的反應。文譬如說十個工人捱了鞭打，那麼，我們可以看得到 有些是哭了，有些憤怒了，有些嘆氣了，有些默默了；也有些笑了的！

像在"在木筏上" 忽忽忙忙地只有幾句"舊年過了兩回大水，今年旱了半年，一切收成都沒有，官廳只知道落鄉逼完糧，完到民國二十四年，又來逼收懲匪捐，絃繳幾天便會……"這樣就是一切離開"唐山"跑到"番邦"去想發財的人底苦訴嗎？ 沒有這樣簡單的！事實上在"番邦"謀生的人有：被拐賣去的鄉愚，企圖徼幸的投機者，和資本家，賭棍，罪犯，偷摸手，等等。作者所舉的不過是一個例子罷了！像"歸家"篇中的百祿叔，不是一個企圖徼幸的投機者麼？

小說裏面自然也可以專表現一個人和幾個人底性格，而不去注重事實底開展的。可是那也得有充份的動作，並且性格要表現得強烈。讀過了"在木筏上"，我們得了什麼呢？

此外還有那木筏上的恩主，作者沒有投給我們一個強烈的印象。在對照的地位上恩主是一個重要的角色。我們如果說因作者忽略了恩主的描寫而致全篇失敗，也沒有不可以的。

對話除了不熟練以外，更有個大毛病，便是既有土語，而又有一半是國語。這樣讀起來，比一半是文言，一半是語體更討厭過。試想，我們用中文描寫一個英國人，而且對話裏面，（除了特別的情

8 　　　　　　　　洪靈菲的歸家

形以外。）用了一半國語，插了一半有括號的英語，那成了個甚麼呢？

第二篇"在洪流中"，也是一篇失敗的東西。事情是三件：第一，阿進因為失了行動底自由，所以在洪水高漲的時候才能回家見他底母親；第二，瑞清兄因為說小二老爹吞了築堤的錢，被人駡了一頓，回家打瑞清嫂，瑞清嫂跑到阿進底母親那里訴苦；第三，小二老爹在"做大水"的時候還和侍姿唱"十八摸"，喫肥肥的猪肉，後來水退了，又不大唱"十八摸"了。

作者底主要的着眼點恐怕還是第一件事情。他想描寫的恐怕是失了行動自由的人思親的痛苦和母性底慈愛。可是結果是甚麼都沒有寫出來。

背景既然是天災，主人翁又是失了自由的青年和他的母親，這種題材應該以純粹的對話或內心的分析兩個方法去寫，時間和空間都要特別劃畫清楚，才會有效果。可是他只注意到瑞清嫂和"十八摸"，以爲這是兩件絕好的陪襯資料，而對於自身和母親方面都沒有詳細的敍述，令人不得要領。

"在俱樂部裏面"也跟"在洪流中"一樣，只有實事的直述，沒有情節，也沒有結構。述一個青年寄食在新嘉坡一個俱樂部裏，人家看不起他，當他做下人，因此他只得和下流人要好。他何止沒有做小說，他簡直是演說了：

"我知道，像我現在的這種樣子，在新嘉坡島上的交際，只混雜在被踐踏的一羣裏面才有希望。只有這樣的一羣，我和他們才有共通之點，我的心靈才能夠和他們混合一片。衣冠楚楚的上流人呢——他們是看不見看不起我的，而我也看不起他們。"

這已經不是"宣傳"，而是宣言了！這些理論本

10　　　　　　　　洪毅弄的歸家

來應該溶化在作品裏面，才是辦法，而作者却直說出來。其實照作者底意思，是想表明上流的人看不起他，而下流人看得起他，於是他便同下流人混成一團了。這真真實實是小資產階級底劣根性了！那"穿了大元帥服便是偉人的托爾斯泰主義者"阿孫，他做雜役；那被胖子冤枉他"打飛機"的十六七歲的少年，他在唐人店當夥計；而我們底青年詩人，他只是無所事事去做寄食者！人家叫他"阿老襄"，他便氣憤不過！這跟他們是一團麼？而且阿孫，他是怎樣看這位青年詩人的呢？

'找到了事情了沒有，……緩緩地找，自然是會找得到的。……請不要灰心喪氣，太公七十才遇文王啊！……'他說。

這樣看來，這位青年詩人在他底眼中還是一個蓄難公子。而不認他做同類。其實照那位青年詩人那時的脾氣來，如果阿孫說些認他為同類的話，他又會以為連雜役都看不起他了！說別人看不起自己，意思就是想自己底地位升到和別人一樣高，或者還高過他；郭沫若以前的思想就是這個樣子的。

作者又宣言了❖

"我仍然要生活下去：雖然他們看不起我，這有甚麼要緊呢。我的交際的場合是更加廣闊了，被踐踏的這一輩都可以做我的朋友，他們的人數是怎樣的廣而且衆啊！而這兒的世界，比兒童腦裏的世界是更加有力，比大學生腦裏的世界是更加充實，比那些上流人的世界——啊啊，那些上流人所生活着的世界是完全要不得的！——是更加廣大，壯闊，充滿同情些啊。"

作者在描寫一個青年詩人，所以那個詩人竟唱起詩句來了。這還是在寫小說嗎？他簡直錯了，他在這個結論之前還漏了一大段文章呢！試想在

12　　　　　　　洪靈菲的歸家

　這俱樂部裏面，他們的世界（作算就是他們的吧。）分明是小的，作者却要說大，但是我要告訴洪先生，讀者斷不會因為你說大，就覺得大了的呀！　你應該使讀者覺得，而不應該只讓讀者聽見的。

　　“比兒童腦裏的世界是更加有力”這句話是甚麼意思呢？兒童腦裏的世界有些甚麼力呢？還有，作者說：“那些上流人所生活着的世界是完全要不得的！”讀者又要問了：“是因為看不起那個青年詩人便要不得麼？如果有別個原故，怎麼終忘了告訴我呢？”

　　第四篇是“路上”，雖然在作者同樣的散漫的筆調下產生出來，但在本集中可算是較好的一篇。這最重要的原因，我想，是本篇為日記的體裁。但本篇也有兩個缺點：第一個是當妓女兜生意，她們說出自己是女人的時候，却“老大自覺得不好意思”，馬上跑了。第二個是全篇的結尾，弄得讀者莫明其妙。她們是不是做了俘虜呢？

"女孩"和"歸家"却是全書中最壊的兩篇。"歸家" 不過描寫一個運氣不好的人和他底瞎吵胡鬧的妻，半點精彩都沒有！"女孩"在概念上本來可以成一篇好的東西，可是作者給弄糟了。

作者頂歡喜"硬幹"。——這卽是，强姦篇中的主人翁底意志。讓我們在"路上"和"女孩"中間找點例子吧：

1. "那些兵士眞可愛(當然有很小很小的部份是不行的。)他們曉得衝鋒，不曉得退縮是怎麼一回事！衝鋒！衝鋒！要有子彈的時候，他們便想衝鋒！幹便幹，不會畏首畏尾，像他們才算是有了普羅列塔利亞特的意識！"

——"路上"。—— 這些情形自然應該用表現的方法的，我們現在單就他底論斷看吧：幹便幹，不會畏首畏尾，這樣就是普羅

14　　　　　　　　洪靈菲的歸家

列塔利亞特的意識了麼？要是如此，普羅意
識真是太單純了！誰能證明'拿破崙皇帝'
不是"幹便幹，不會畏首畏尾"的呢？誰敢說
歐戰中的德國軍人，不是一有子彈，便想衝
鋒的呢？誰又能證明他們都有普羅意識呢？

2."由這場戰爭裏面，我深深地感覺到小資產
階級在這偉大的時代之前一定不能夠幹出
一點重要的工作出來，除非他們已是獲得
普羅列塔利亞的意識"——·"路上"——這
同樣是種空虛的擬說。作者不能夠說楚朗
鬧戀愛，便不革命，便只顧做個玩物。我們
想，倘若她只顧做個玩物，又何必跑到前方
去呢？總之，在他沒有把普羅意識識強烈地
表現在讀者底意識界中之前，他沒有權利
令讀者相信他底論斷。

3."我不猜了！你是一個人……" 她很得意的

笑着。

"不！我是一個暴徒！"……

"嘻！嘻！……"她笑起來了，她把我的鬍子挽得更加出力了。你是個暴徒嗎？暴徒比較少奶奶有趣得多了，我可以做個暴徒嗎？"——"女孩"。——後來這"女孩"更嚷道："做個小暴徒去！"你瞧，這是一個奇蹟了！我們只看見作者一個人說話了！作者一方面做了"我"，一方面又做了"女孩"。誰能想像得到跟作者說話的是一位九歲大的婢女呢？他本來有一個很好的場合，可是因為他沒有鑽進那個女孩子的心，結果她變了他的傀儡，而把藝術的空氣破壞了！

然而"女孩"一篇的結尾却不錯。他只說了一句"到前面去"便已經獲得了成功的；可是他一定要加上"這樣，我便和他揖別了。"却又把讀者弄到

16　　　　　　　洪靈菲的歸家

肉麻不過，虧得這位獲有普羅意識的暴徒，他竟向一個九歲的婢女作了一個揖呢！咦，精糕！

　"女孩"裏面還有幾個不通的地方，作者一開頭便說她九歲，後來又跟她打招呼；後來又用"一種父女似的感情對待她，專要和她頑，吃她的虧"後來又把燒餅"塞進她的衣袋裏去，"後來又給她幾個銅板；後來和她感情深厚起來了，又每天抽出十分鐘：和她裝鬼臉，"盡情地歡笑"然後到了一天，他才同她談話，才問她叫什麼名字，還問她幾多歲。這是第一點。作者說他的二房東是個肉感的少婦，那本不成問題，可是作者曉得她所看的書，"都是肉蒲團，金瓶梅這一類"，那可有點問題。這是第二點。第三點，讓我再抄一段吧：

　"每天晚上，她獨自一個人睡在一塊特別高的，漆黑的，被隔絕的樓板上面。她朦朧的而又清晰的，悲傷的而又帶着反抗性的在她的特殊的小

世界裏面納悶。有時，在她的罩着淚光的小眼裏，
現出一個好心腸的，面孔和善的中年婦人來，那中
年婦人用着她的手去撫着的她頭髮，把她抱在懷
裏，親熱地吻着她的前額，在的她耳邊唱着睡歌。”

　　如果作者是以第三身敍述她的心情和幻界，
我想自然可以；可是作者現在自己本身也是篇中
一個脚色，却忽然‘跳出三界外’地探想了她的心
情和幻界，我們曉得這是不可能的。

　　好了，寫了不少了，用一句廣州各茶館的夥計
所用的話吧：“拖住”。總結以上的話，我們可以老
實不客氣地說“在描寫的手腕，敍述的技巧，修辭
的工夫各方面批判起來，…可說完全是失敗的。”
正如作者自己批判他的‘流亡’，一樣。

　　我們再從作者所謂“新的傾向，新的努力”說
幾句話吧，雖然他只是對他的‘流亡’說的。

　　這裏所謂“新”，究竟是不是新，我們姑且不

論。並且，讓我們直接提出"普羅文學"來看看吧。

普羅文學底前身就是革命文學，革命文學就是主張藝術作品做政治的工具的。這種理論是否成立，我們不去管牠，因為一個人要支配他自己的所有物，那他當然有完全自由權，不說拿小說，詩歌做政治的工具，就是拿小說詩歌做愛情，金錢的工具，在作者一樣是可能，並且已經有人實行過了。

也有人說，普羅文學除用來喚起普羅階級的革命以外，還要表現普羅底意識，還要去創造普羅文化。"普羅文化"當然是代表提倡普羅革命者所懸想的一種合理的文化，但是普羅意識是甚麼東西呢？普羅文化底絕對價值是甚麼東西呢？這些，我們都汲望着得到各個的結論。比方，普羅革命在中國是否需要，改善目前中國工人生活是否只有普羅革命一條路，達到全人類的合理生活的路徑是否只這一條，消滅布爾喬亞泥的方法是否只有一個，這些，每一個讀者都在很急遍地要求作者給他們一個答案的。

我最疑惑的是：普羅意識的本質是甚麼？其次是：中國底普羅意識底實形態是怎樣？

可是我們聽見普羅革命運動家似乎說：“普羅意識是普羅階級底生活的自覺的意識”。而同時又說：“小資產階級要深深地把握着這種意識……”於是我們就思疑了，普羅意識是跟“人類意識”全然不同的一種可把握的東西吧？這種東西在甚麼地方呢？意志可以製造這種東西嗎？這種東西是生活的精神流露出來的，還是由想像構成的呢？如果說小資產階級要幫助無產階級革命，這倒很容易明瞭；如果說小資產階級要幫助無產階級構成他們底自己意識，這不會是可能的。普羅文學論者既把他們分成兩邊，一邊是“自己”，一邊是“旁人”，那麼，他們底意識，無論如何，不能相同的，除非在

20	洪靈菲的歸家

任何一邊的生活狀態根本改變。

照這種意見去衡量洪靈菲先生的"歸家"，結果我們只得"莫明其妙"。如果說作者還沒有獲到普羅意識，那還可說；如果說他已獲得普羅意識，為甚麼他不能令讀者明白觸到那普羅意識呢？如果退一步說作者並不在表現普羅意識，而只在叫傳讀者去"把握"牠，那麼，我讀了"歸家"之後甚麼都感覺不出，也只好認為作者底失敗了。

"歸家"六篇中除了幾句"硬幹"的宣傳話以外，只可說是一些他自己底生活的頭記。實在說起來連社會底的時代的描寫都說不上呢！──自然，我們不能承認比這再淺的小說理論了。

任便是再被普羅文學者說得落伍的，可憐的，不需要的作者有些也還知道到畫時代和社會，然而洪先生給我們的只是模糊的觀念而已。我並非厚誣他，我們看，除了"路上"篇外，其餘的代表了些甚麼？進一步說，"路上"裏面，把"英他拿遜南兒"換了"中國雄立宇宙間……"的所謂"國歌"，把"普羅列塔利亞持"換了"愛國"兩個字"把"小資產階級"換了"想升官發財的人"全篇可以變成甚麼意思呢？這種照了公式塡字便可以隨時變換其內容的東西，不是太不能令人滿意了麼？

比方要描寫中國底經濟發達朝資本主義底路上走，（自然這是一篇論文啦）得要描寫出來，並且要有充分的證明，不能只空說一句話；小說裏面縱不必加進統計材料和顯明的論理方式，然而光說說，自然是不夠的。

最後，我們要談到"歸家"所引起的實際效果。倘若主張文藝要有作用，那麼，每篇小說都應該有點作用的。但這裏引起了甚麼樣的實際效果呢？我以爲從作者底立場看來，他一定要抓着一個事實，用藝術底方法證明牠實在非"怎樣"便不能解決，

才算盡了他底責任！可是在書本裏面，那一篇是有
了這種力量？那一篇是包含了令人感到非要普羅
革命才能解決的問題的？全書除了"歸家"，"路
上"，"在洪流裏"三篇並沒有待解決的問題以外；
"俱樂部裏面"，"女孩"，"在木筏上"三篇包含了下
列四個問題：

1. 要一般在星嘉坡有點錢的人——以做小本買
   賣或做苦工而積蓄到小富的全無智識的人，
   看得起一位在大學畢業會做詩的青年，不直
   叫他底姓而冠以"老"字，不叫他買香煙。

2. 要哥哥對弟弟的態度沒有那麼強懷兒惡。

3. 禁止蓄婢

4. 救濟一般因耕種無獲而跑到B京（南洋）做苦
   工的人。

　　這四個問題是否只能用普羅革命底形式去解
決牠們呢？是否沒有別的方法合宜地去處理牠們

呢？請讀者想想看。我們平心說，一個崇拜馬克思主義的人必不會以這種問題去宣傳他底主義的，馬克思底思想底核心，馬克思指出的社會癥結所在，是這些麼？是這些麼？

　　作者也許並沒有在中國社會裏頭找到材料吧？我以爲沒有材料，原可以不寫，不必這樣蠻幹的。縱使一定要如此，也是徒然而已。

　　普羅文學派從理論時期到現在，經過差不多兩年，（其實已經不止兩年了。）還沒有較滿意的作品來，眞令我們詫異。這派底領袖郭沫若先生也只寫了"我的幼年"和"反正前後"——兩本以字多取勝的站在他底觀點分析前時代的作品，並不曾接觸到中國現社會，其中雖有些對於革命時期必不可免的弊病的譏評，但不見得曾代表了甚麼"普羅意識"——其餘的就是粗製濫造東插一句"普羅"西嵌一句"劣根性"，讀到人頭漲。

24 　　　　　　　　洪纖菲的歸來

　　時代是最嚴厲的淘汰者，我們看見目下中國文壇裏普羅派漸漸委靡下去的景況便足以證明這句話。老實說，如果普羅文藝派底諸作者，再不努力使作品充實同深刻，恐怕這個運動在幾年後要重來一個開頭吧。

　　最近上海各書局都有點"社會學"狂，裏面有一大批馬克思主義的宣傳理論，這除了證明新生命書局實在賺了幾個錢和證明牠們的投機性以外，便明明白白地指示着這兩年中印了一大堆的普羅文學作品已經不復爲讀者歡迎了。書店不得不改變態度，馬克思主義者也就改變了方針；一方面在出版"社會科學"書，一方面在用理論宣傳。

　　依我的意見，以理論宣傳不止正確，而且效果很大。如果依然要用文學做政治的工具，我們熱忱地在這裏等候他們底努力和成績吧。

　　　　　　　　　十八年十二月十日・民治

對力山先生一個小聲明

我 一向對於別人批評我的文章，是概不置答的。因為創作是我底責任，批評和答辯都是別人底責任；批評者底立脚點未必跟我自己一樣，那麼辯是無益的。長虹在未認識我以前，早有幾句關於我的話說過，這自然無甚捧場作用，也並非互相標榜，結果沒有人罵他；可是在他剛剛認識我以後，便寫信給仲平，說我的小說比都蓋納夫還好，因此便引起青海雜誌上的力山先生一論再論。

這在我頗有點爲難。如果出聲說話，人家一定以爲我直接替朋友辯護，間接替自己那"比都蓋納夫還好"的位子保鑣；如果我不出聲說話，人家也許又以我爲已經居之不疑地坐在"比都蓋納夫還好"的交椅上屹然不動。

難得在青海三卷二期，最末尾那幾假，我找了說話的機會。也得要預先聲明一句：長虹說我比都蓋納夫還好，那是他底意見，至於我自己倒沒有因他說一說便也覺頗不弱於一個俄國大文豪，這請力山和讀者儘管放心好了。

力山說："他的作品中，主人公的性格，多是意志薄弱的青年。有生活的苦悶，但沒有謀求較善生活的勇氣。"又說："我們這時代，一個十分複雜的時代。"既然是一個十分複雜的時代，那麼，我們應該承認，甚麼樣子的青年都有才對，爲甚麼"意志薄弱，有生活的苦悶，但沒有尋求較善生活的勇氣"的青年就要被推出這個時代之外呢?力山如果提出需要不需要的問題，那還有商量，如果說描寫這種青年就不曾描寫時代，那我是不承認的。而且用他底論調，我却可以說"羅亭"也不是描寫時代的作品。

力山底錯誤就是分不清：

1. 如實地描寫這時代的作品，和

2. 暗示解決這時代底一切問題的方法的作品。

這里不用我詳說，力山和讀者們自己想想就曉得的。講到解決這時代底一切問題的方法，我還有兩個意思：

1. "謾罵"和"毀滅"都是代表這樣一個青年底

28　　　　　　　對力山先生一個小聲明

過度憤懣和苦悶的一種形態，也可以說是在革命底前夜所發生的思想上的畸形的現象。並非解決底方法。這個青年將來是否會用冷靜的頭腦去參加革命底戰線，我在正文裏是不曾下着斷語的。（就攻塊殘片而講。可是力山不曾在緊接正文的幾句話裏面看見他底態度麼？）其次在"桃君的情人"裏面傲英是不滿意於那種假革命底招牌而行非革命底事實的，所以她參加了比較猛烈的一組，可是最後她是失敗了的。那麼，

2. 當她一點辦法都沒有，而且自己知道生命不長久（自然，可以說是朝不保夕。）的時候，她除了拿自己底殘餘的生命去沌沌憤以外，有甚麼辦法？力山，你告訴我，有甚麼辦法？假使她自己是很康健的，難道她自己真的不曉得"在資本主義制度之下，難道只

要打死一二個資本家，像劉雲妹般的工人，就得到解放嗎？''何用力山因為要罵長虹而敎她，因此，我說，除非力山不曾讀過'桃君的情人，''否則，便是看完桃君的情人後，所得到的結論，實在有點太過於"複雜"，而非他所能了解了，其餘，我不想再發表我底意見。但是對於力山所忠告，指示，奬勉的各節，我都表示感謝。

十八年十二月十四日，於南京·

浪漫與頹廢

我們需要鐵底的意志，和鐵底的身體。而浪漫與頹廢，是使一個人變成棉花樣軟弱的。

遁辭每個人都會說，尤其長於說的是浪漫的，頹廢的青年們。其實自己承認了至多也不過是經不起時代底狂飆，自己一味子飾辭那就是墮落。

一個大時代會使許多人沒落也會使許多人奮

32　　　　　　　　浪漫與頹廢

起，這就要看他有沒有勇氣去過着徹底的生活。

　　有時抱抱姑娘，有時喝幾杯酒，固無損他對於生命的嚴肅的態度，只要他有向善的決心。

　　英雄並不一定時常都是大聲疾呼，有許多時候，他是沈默地瞪起如火珠的雙眸在看着一切。

　　房屋要倒塌的時候，你只好單身跑了出來，找些磚瓦樑木來重建一所，那怕是很簡陋，那怕是很不舒服，但你仍然可以幸福地生活着。——斟了杯酒對着屋樑流淚，捨不得貼在牆上的幾張裸體照片，那麼，你就可以好好地活下去了麼？

　　光會用腦不會用手，那依然是一樁可憐的事。一本書從你底案頭掉了下地，你用甚麼去拾牠起來呢？

　　女人們不該用脂粉去裝飾自己，靑年不該用書籍去裝飾自己。

　　淚是在笑的時候流的，不是在悲痛的時候流

的。

一個人到後悔的時候，恐怕也好只是後悔而已。

我以前說過，浪漫和頹廢是積極和奮勇底預備，我現在也還是如此希望着。

十九年，二月十五日．

關於"愛與血"

最近我讀了"愛與血。"

本來想寫一篇較詳細的批評，但在手邊那本書丟掉了，只好約略地寫些讀後的印象。

說起來好像對不起作者，但實在地，我用了很大很大的耐性，才把那本書讀完。有幾次我要放下了，希望騙着我，想急於發現一些好東西，誰知到

36　　　　　　　　　關於愛與血

了終篇，我是深深地失望了，深深地失望了！朋友們都說作者在中國文壇是很流行的，我當初也帶着不少慎重的成份讀着他底書，即在我寫這篇文章的時候，對於作者，我依然沒有輕薄的觀念。

我以爲一本小說，起碼要使讀者"如身入其境"，而把自己忘掉。如果令讀者讀到渾身不自在，而且覺得作者對於他自己底作品沒有好好地注意着，那是一個最大的失敗了。

誠懇是文藝底第一個條件，我們都這樣相信着。愛與血，我敢大膽說一句，作者只是竭力搬出一個突兀的故事，想來聳驚讀者，他想不到讀者所給予的反應是厭惡。作者底其餘的作品我沒有讀過，單就這一本愛與血講，我很老實地說作者底態度是不誠懇的！我們曉得，不論在非普羅及普羅底立場上看，一件作品沒有通過作者底全生命及全生活，沒有用作者底心底火焰煎熬過牠，那無論如

何，是一件贋品；再說得過份一些，簡直是，不論在
精神物質兩方面，對於讀者，成立了一椿欺騙的罪
案。再淺白地說，一個作者不應該投合讀者底低級
趣味，而使他們底思想感情永遠愚蒙和黑暗；這不
是很顯明的麼？愛與血底作者如果是屬於周瘦鵑
趙莅狂一流的；那麼，讓他自己殘落好了，我們何
必多嘴？如果作者還是爲了中國底文化事業而努
力的，那麼，我們又忍不住要以同情底態度而開罪
於他了。

雖然拿現代底的眼光來看這部作品，完全找
不到甚麼價值底評衡。可是一方面希望新的趕快
成立，一方面也希望舊的趕快整理；事實上舊的東
西要給新的東西以不斷的影響，中國人民又是最
不會選擇的民族，這裏面已經伏有危機。況且中國
文壇只要有一部"訴爛污"的作品，也還是我們大
衆一個恥辱呵。

38　　　　　　　　關於愛與血

中國底文壇幼稚，是事實。幼稚並不即是壞，可是我們為甚麼讓"壞底充塞"也成了事實呢？

＊　　　　＊　　　　＊

"愛與血"第一個錯處就是把男主人翁支配了做少校營長，並且硬要他做一個文學家而兼營長的文武全才的角色，然而作者又不去努力描寫，結果就不像營長，也不像文學家。在少校薪水是一百二十八的時候，我以為要主人翁做一個愛好文學而從事於軍隊政治工作的青年，是很可能的事。其實說主人翁是文學家，這有甚麼特別的意思呢？莫非作者以為一定要文學家才會做出狠心事麼？

第二：秦林既有仇恨女人的心理，為甚麼他會答應了定下一個未婚妻？並且他底未婚妻既未見過他底面，為甚麼會如此愛他？而他也愛她？——

這些，作者都不曾說明，也不曾表現。令讀者感到
作者在強逼着別人底同意了！至少在我要問：作者
既然肯定地說秦林是文學家，而且是懂得砒霜底
英文原名的文學家，爲甚麼他一點新思想都沒有，
會嗎嗎呼呼答應家裏給他定下未婚妻呢？這樣，不
是成了渾蛋文學家了麼？

　第三：作者沒有給我們看清楚，主人翁底思想
和性格是轉變的或是固定的。這是一本書裏面最
重要的主眼：從前的作家們在一本書裏面，首先要
决定這件事；全書中主人翁底思想和性格假使是
不變的，那當然不需要怎樣說明，假使是轉變的
呢？那就非要用很大的工夫去表現出來不可——
光是說明尙且不夠的！作者一開頭很生硬地告訴
我們他要用手槍打死一個素不相識的女人，這已
經夠生硬，夠不合理了，後來作者簡直忘記了主人
翁底思想和性格，一變而爲每個女人都愛了，這是

40　　　　　　　　關於愛與血

甚麼話？請問作者，書中三個女人，秦林虐待過那一個呢？在我只感到他只是一個愛情濫用者，他沒有眞恨過那個，也沒有眞愛過那個。但是後來他在小艇上用毒藥殺害了自己跟那三個女人，據我看，那只有完全從不可分割的強烈的愛出發，才會有這種行為！假使他是一個思想渾沌，意志薄弱的游戲者，他一定沒有殺死三個女人的決心和勇氣；假使他是一個殘忍的虐待女性的，他應該索性把他底未婚妻跟菱妹的肉體全破壞了，然後一個人邁開，死也好，逃也好，讓被遺棄的三個女人愛生便生，愛死便死，叫她們活活受罪，以償他報復的心願！請問作者，秦林到底是一個四不像嗎？

第四：作者根本就不清楚軍隊的生活，所以他支配主人翁做營長，而完全不用軍隊生活底描寫做陪襯，以證實他眞是一個軍人。並且一個營長支領薪水，不向軍需，不向副官，不向庶務，而向幹事。試問作者，在那一個軍除裏面，是有"幹事"去管薪餉發放的呢？所以柯仲平說的，文藝是實生活，至少有大部份的真理。退一步說，文藝也靠一點觀察吧，可是這種觀察應該是怎樣慎重嚴密的啊！

第五：作者連秦林居住的地方都沒有弄得清楚。"寄宿舍"是一個甚麼地方？像上海底小旅館和北京底公寓那樣的性質的吧？可是我們知道一個營長是不能離開部隊而長久住在外面的。如果這是團部或者師部底官長寄宿吧？可是秦營長撤了差好幾天都不見有人來叫他搬走。這真使我莫明其妙了。

第六：作者故意使文章多生枝節，因此往往不顧道理地蠻來。如秦林用槍自殺，鎗竟打不響；這成甚麼話？一個帶幾百兵的軍官，槍竟打不響了麼？這真滑稽得可憐！滑稽得無理取鬧！作者難道

42　　　　　　　　關於愛與血

竟受了西洋電影滑稽片子底影響嗎？

　　這不過是略舉幾個例子，要是有原書對看，那一定可以寫出更多的不妥當的地方。總之，作者在他底筆下所描寫的人物中間找不出巧妙的線索，因此不惜用一件無理的事做恐嚇讀者的法寶。各個人物底感情，性格，思想，容貌，服裝，習慣，以及其他一切小說底條件，作者是更沒有顧及了！

　　我希望在別的時候，讀到作者別的更好的作品；我尤其希望作者有勇氣把"愛與血"自己細心重讀幾遍，把錯誤的地方改正。一個對女人懷着報復思想的軍人，和圍繞着他的三個女性，這樣，好的作品本來不難產生的。這里所謂"好"，也不必一定說是時代底的需要，但至少能夠動人。

　　讀了"愛與血"，綜合所得的是：生硬，凌亂，不逼真，不合理，隨意的堆砌，和模糊的人影。

　　　　　　十九年二月十五日，於南京●

我們底活法

我是一個自小就四處流浪的窮人。記得在
十歲到十四歲，我除了去小學上課以外，其餘的時
間都沒有鞋穿，吃飯的時候常是最便宜的醬料和
腐乳，青菜做菜，隔壁是乞兒，工人，小販，看相的，
賣淫的……到十五歲，我有了一件最便宜的呢大
衣，而且進了中學，早餐是兩個麵包，只要四個銅

44　　　　　　　　我們底活法

板；到十七歲，我離開學校生活，得了一個每月二十塊錢的職業；於是晚上我便在專供一般工人小販談話的茶館裏喝茶，跟朋友們談郭沫若，談郁達夫，談魯迅，談冰心……到了現在，我有了五十塊錢一個月去組織一個最小最小的家庭……這樣，我活着，我一直活到現在。

從五年前我就有了一個念頭，我想弄清楚，一個人到底是怎樣地在活着。大家是怎樣地在活着。

於是第一我想着：我們有的是甚麼？

跟着：我們做的是甚麼？

又：我們爲了甚麼？

我以爲光是出恭，吃飯，看電影，穿衣服，住房屋，性交……這真會令人討厭，死板板地，誰高興呢？於是我又告訴朋友們，大家去找一點不曾被人發現的東西吧，後來我們曉得了有一樣未曾被人類發見的東西，我們就去找，但至今還沒有找着。

現在，我又知道了還有許多人也在找着。

也有不肯站起身去找的。

"你爲甚麼不去?"我問。

"我肚子餓呵!"

"我沒有衣服穿呵!"

"我沒有地方睡覺呵!"——幾個不同的答覆。

也有另外的答話：

"唉，我困倦死了，我簡直動都不能動，太勞苦了呵!"

"你至少可以分一點力量出來。"我說。

"我想呵，可是我用完了一天的力量才剛剛夠吃飯……"

我沒有辦法了。

"旣然是這樣——"我自己想着。"那麼，我們怎樣活法呵?"

戰。——我好像這樣決定了。——爲了他們!

46　　　　　　我們底活法

可是隨嘴說得容易，那是小孩子底行徑。我們雖是年輕人，但不願做小孩子，那麼，還是靜默着吧，嚴肅地靜默着吧！而且你要戰，就得要學習，學習底時候是不准亂喧嚷的。

乳虎底呼嘯，是不能喪獵人之膽，反而叫他們來捉自己的。這樣，我們活着下去……

十九年二月十九日・

關於"煙囱"

中國人是世界上最愛取巧，然而却最恐慌的人。

你只要曾經花過二角五分，並且讀過"樂羣"月刊二卷十二期的，都會相信我底話。他們底編輯

48　　　　　　　　關於煙囱

委員會正在引着那些騙子底作品自豪呢！瑪情的"挨餓階級的狗們"反而不如"張的夢"，不必說更與普羅意識無關。拿來做少爺小姐們影餘班後的消遣良物，倒是很合式的。跟着，便到了我現在要談的"煙囱"，這大概是被"樂華底一團"認作典型作品的吧？我底天！

　　中國普羅作家大半是些浪漫派底健將，這已經夠足證明他們底作品不過是另一新形式的浪漫作品。張資平有錢爲他底兒子"買了千年的萬國儲蓄"，他不曉得也曾否知道人間還有兒子病了沒有錢買藥的人？這個我們可以不談。　　另外有郭沫若先生，他寫，"我的幼年"和"反正前後"，有錢在日本住；可是在他的作品中也沒有普羅底影子，有的只是幾句空罵。其實說來說去，還是糙米創造社底血脈，大家在那兒玩弄着青年能了。郭沫若，陶晶孫，王獨清，郁達夫，最後到了張資平，

及其他許多大大小小的文學家們，（這里包括目前
一切嚷聲最高的。）當初都是不把眼睛朝社會看一
看的人物，一旦談起普羅來，大家所用的還仍然是
幻想。於是，從政治底的路上掉下來的，從圖書館
裏跑出來的，從監獄裏放出來的各種對文藝一知
半解的青年，都上了他們底惡當，以膚淺的想像或
表層的並且不透澈的觀察來大做普羅文學。

其實真正的普羅文藝，恐怕還在很遠的地方
吧？所以在這一點上，我希望中國出版界多幾本翻
譯——作品及理論。我們曉得，文藝裏面有的是誠
懇與真實，胡造幾句話來使人眩惑，最終乃是失敗
的。膚淺的想像或表層的並且不透澈的觀察即在
一般底的文藝理論中都攻擊過的，那是浪漫底的，
空想底的作品底方法，完全不接觸到現實的。一篇
作品連現實都抓不住，當然比寫實主義及自然主
義都要壞，不必說“新寫實主義”了。

5) 關於幅阱

我們曉得，文藝第一要靠生活，第二要靠親切的觀察，所謂把握着某種意識，並不是在腦中緊記，筆下時常寫出來便算完事；並且我不曉得除了"生活"與"觀察"以外還有甚麼可以走得通的路徑。

秋楓寫的這篇"幅阱"縱使生用了第一身，然而他是靠了觀察却無疑義。一句話可以說完，他並不曉得一個挑水夫走到一個工廠裏面是應該有怎樣的情形的。換句話說，就是他自己扮了一個挑水夫，從著作室裏跑進一個幻想的世界去。

自然，在他底理論上說，他是懂得機械工業是怎稀逼着手工業的，可是他並不曉得生活在這大變動中的人們是怎麼樣。這卽是說，他懂得那個理論，而完全不懂得"文藝"。結構及其他的技巧問題我們不必苛求。這里只要提出他底暗示和他怎樣描寫了主人公這兩點。

值得他們底一圑那麼推許的原來是很簡單在說着："自從有了機械以後，手工業底苦力們便痛苦了。"作者底主眼點如果只在這里，那眞是一個錯誤。讓我替作者回答吧："旣然如此，我們把世界上一切自來水廠底機器都丟下太平洋，讓阿根他們再來挑水吧！"這自然有點滑稽，可是別無他法哩！

在我以前批評洪靈菲的"歸家"的時候也曾說過，作算普羅小說底作者不談技巧及其他，但一篇中所暗示的問題及其解決的方法是要顧及的。並且要提出一個問題，而這問題底解決方法也要只有一個。辛克萊在他寫的"尋求者桑麻而"一書中也曾寫過農村崩潰的景象，可是那只是一個問題底動因，而非一個問題底主體或其解決方法。自來水公司奪去了挑水夫底工作，那是事實，誰都知道

52　　　　　　　關於煙囪

的；可是還並不是一種罪惡！反而是人類一個進步
的現象！又因此而過着像阿根這種人一個個走進
了工廠去受壓榨，這也是一個事實，可是作者絲
毫沒有暴露那壓榨底情形，只是說阿根一看見煙
囱便知道要被壓榨，那實是不通的話。這樣看來，
作者描寫他受壓榨的情形，應比他離開了工業時
的痛苦描寫更詳細才對。其實這才是正文！聰明的
作者只要一句話："自從蒼州設立了自來水公司之
後阿根就逃到濱江來。"然而作者底剪裁手腕却要
從"失了工作到將得工作，"這真是令人不明白的。

　　其次，作者怎樣描寫了篇中主人公呢？

　　這是跟上面所說的有關係的，作者沒有捉住
了好的題材，而一方面又因爲沒有了"某幾種字眼
"便非普羅文學，於是作者沒有辦法了，只好胡來
以達到目的；這也即是我說洪靈菲先生的"硬幹"。
一般普羅文學家都不曾在小說裏面找機會，結果

大眾在強姦着自己創作出來的主人翁。在這一點看，眞要多讀點小說，至少多讀點道地的普羅小說。

如果誰讀過這篇"煙色"，而會相信這裏面是一個挑水夫在活動着的，那才是怪事！淺白地說，作者完全不懂得一個挑水夫底思想，生活，及其性情，習慣。他坐在洋房裏面說理，硬要叫讀者相信他底話是從一個挑水夫口裏說出來的，如是而已。

你看：

作者一開頭便叫挑水夫阿根說着智識階級底口吻的話了："難道永遠抱着這樣的一副沒有肉的骨骼嗎？那可怕的與生對立的死已經捉住你了呀！像骨骼，像"與生對立的死"這些字眼，挑水夫會在心裏這樣想着嗎？不通！

跟着很生硬地敍述着他怎樣觀察自來水廠，自來……這裏"生硬"兩個字決不過份，能把自來水廠

54　　　　　　　　關於煙川

看得那麼眞切的，只是作者而已，並非挑水夫阿根。

　　阿根又說："今天是我要投到新的搾取機上去被搾取了！"好聽，這才是漂亮的話，其實一個沒有見過世面的挑水夫，他對於機器應付如何戒懼之心，他在未進工廠之前，應如何懷着幸福的希望，怎麼一下子就說出"投到新的搾取機上"這種話呢？並且阿根往後在濱江，又什對自娥說："我想我入了工廠，我總可以得到一筆錢，那末，你的衣服可以多買一二件來了，娥姊。"難道他又曉得要去被搾取，又以爲會有錢麼？──這里附帶一件小事，就是對話裏面，不要用"姊"字，要用"姊"字。

　　再往後又有"在我的意識上復活起來"這麼一句。也不是挑水夫底口吻。其餘，"像：營養又不足，便一病死了。"的營養二字。又像："不過嗎？不過離春天不遠了嗎？但是一個短的時間就有致死的可能呵!"天曉得，一個女叫化子會說出了這樣的斯文話!

阿根又說："不，家鄉早巳和這裏一樣了，早巳給機器震壞了，也一樣豎立了許多高入雲際的煙囪了呢?阿"根又說"：一點都不錯，全地球都給鋼鐵佔領了，壓碎了!而鋼鐵又全是財主們領有的啊!"最後，阿根又說："我是受了新的啓示了，我不再迴避鋼鐵，而要利用鋼鐵了!雖然財主們是把持住了鋼鐵，但我們要努力，努力使舊的煙囪放出新的火花來喃!"

好吧，阿彌陀佛，觀音菩薩，一切全搬出來了。我也如進了禮拜堂，也如站在路旁聽人家賣膏藥，變戲法，二角五分是丟掉了，這才是碰了鬼!作者也許對我底態度大不爲然，也許又要罵我比梯得布爾喬亞泥，也許更要罵我布爾小狗……好吧，但是呵，我那二角五分呢?

56　　　　　　關於墮胎

最後，讓我來學阿根底腔調吧："我是受了新的啓示了，我不再迴避普羅文藝，而要利川普羅文藝了！雖然財主們是把持住了普羅文藝，但我們要努力，努力使舊的屁股放出新的臭氣來嘛！"

十九年二月十九日，於南京。

普羅文藝底存在

中國文化第一卷第一期底後部，婉若寫的"請普羅文學來答覆兩件事"發表在那里。她說的話大都不免錯誤，但也有部份地是對的。中國文壇多派，自然是一個事實。其實這大概也是謀生底方法，原不必遇事挑剔。普羅底牌子特別硬，也難怪她底氣焰特別大，到了要找作品，那自然是沒有的

58　　　　　　普羅文藝底存在

了。上海各普羅作家，最不高興人家問他要作品，能夠老老實實承認自己沒有作品，那倒是很好的，像張資平一流人物明明爲做生意而寫小說，偏要說那寫的已經是普羅典型作品，那才眞是碰了鬼呢！何先生倒不必那麼發氣，投機取巧，爭霸地盤，這是中國人幾千年來的老脾氣，一下子想"克服"了，那是不容易的。現在鬧得熱天動地的一切甚麼甚麼，都不過是一些人吃飽飯在那里鬧玩笑開開心，誰要跟他認眞那麼誰就是個傻子，魯迅就是看到了這一點，所以一方面寫起文章來也在那里鬧玩笑開開心，一方面就在那兒拚命翻譯介紹，因爲他很明白，就是在嘴裏喊着克服甚麼，而根本沒有生活，還是不濟事的。還有，罵人爲"小資產階級的劣根性"的並非普羅派，而是一些借普羅二字以自重的小資產階級。他們以爲罵了別人是小資產階級，自己就一定不是小資產階級了。那知這兩個

字眼旣不比靈符，又不如"槍決"二字那麼堅決有

效，結果是曝露了自己。

　　要我擧個例吧：

　　比方我跟幾個中央大學的朋友辦了一個幼稚

週刊……就拿這件事來說吧，那已經不需要甚麼

分析的啦，能夠在大學念書，能夠辦一個八十磅道

林紙印的週刊，這在一九三〇年的情形看來，其非

普羅也可知。反正我們現在也並不曾冒充普羅，然

而，馬上就有人要打倒我們了，射來了一枝"披底

得布爾喬亞的火箭。"意思是說："你是假的，本店

才是老牌子。"

　　其次就是關於我那篇浪漫與頹廢。首先被人

判定像座右銘，其次是"昏庸老朽"，最後是"游戲

作品"。說我"大概由於尼采的哲學研究得太深，或

曾國藩的家書讀得太熟了"更是滑稽有趣。假使他

以爲像尼采或曾國藩，那是他博學，我是不懂得他

60　　　　　　　　　普羅文藝底存在

們的。假使有人以為那是座右銘，那我很歡喜，請他貼在座右，時常看看。

這兩個例子，都足以證明中國人永遠是在射箭上練工夫，而對於"軍事學"反而不敢提起的。自然，要講軍事學，免不了許多麻煩，會射火箭，成功一定很快。這是避重就輕的秘訣。

中國一切執筆為文的人本來都是屬資產階級和小資產階級的，前者自然是想為自己，俗子孫永遠保持着優越的地位！後者則往往因爬不上前者底地位，便想出別的方法來打擊前者，不論他們捧的招牌是普羅或者甚麼，他們底口的還是一句古老話：想取而代之。革命一成功，招牌便可丟掉。於是當中，一切武器法寶都祭起來了。大家有目共賞的，中國文壇不是變成既不普羅，又不文藝了麼？

普羅文藝是存在的，誰也不能否認。但普羅文藝必須是有條件底地產生出來，不是大家閉着玩玩，便算巳經成功了。這里可參看韓起寫的"克服生活"。我們都承認着，沒有生活，一切都是小資產階級底浪漫舉動而已。

不過我個人還有意見，就是普羅革命和普羅文藝始終還是兩件事。也許有人罵我爲不通，不過我並不因人罵便把要說的話嚥在喉嚨裹。

很簡單的便是普羅革命，小資產階級或其他任何人都可以參加；普羅文藝，則除開普羅階級以外，任何人都寫不出來的。因爲我們確信，沒有生活便沒有文藝，勉強寫出來，只是些旁觀作品而已。

其次，普羅文藝並不能做實際行動的指導。因爲文藝作品並不是標語；命令，通告，報告書，或者意見書。只因同一階級，那麼利害相同，苦樂相同，情感相同，大家做同聲的呼喊，至於指導實際行動，那並不要一篇小說或一首詩負責，這是很明白

62　　　　　　　普羅文藝底存在

的事。

再其次，一切殺所，打倒，報復，血肉，等等作品，都不是最終的普羅文學底形式，至多只是一種過渡形式罷了。反之，對於一種新生活的解剖與描寫，或對於一種新人生的批評與贊美，那才是普羅文藝。所以若說一個小資產階級想用一種文藝作品去做他達到幫助普羅革命成功底工具，那自然是可以的，不過這種文藝作品已經是不完全的藝術品，也不是眞正的普羅文藝。

所以，單就普羅文藝來說，（這就是，把普羅革命除外。（小資產階級所負的歷史的使命只是給普羅階級以形式，等他們自己去創造，而絕非代他們做出許多小說詩歌，强要他們承認那是普羅文藝。

這里附帶着一個很重要的問題：就是普羅階級自己起來完成他們底藝術。這在目前自然等於說空話，因爲他們現在衣食住等等最低生活條件都應付不來，那里還管得到藝術那一囘事。所以在他們底眼光看來，第一是要求生活條件底滿足，其次才要求自己階級的文藝。

所以我底結論是：普羅文藝是存在的，現在一些小資產階級則無論如何不會創造出普羅文藝；除非他們改變了生活形式，自己去做一個普羅，更從而創造出自己階級底文藝。

至於為了達到某種目的去創造的作品，則只好在這個目的底含義去批評牠，同真正普羅文藝截然是兩件東西。自不必用藝術立場去批評。

中國作家們目前只有兩種很顯然的心理：一是為爭奪地盤而捧招牌；一是拿文藝做工具而强要人承認那是真正的普羅文藝。

前者固不必說，後者也是錯誤的。其實為了實際行動而借用藝術底形式，正不妨乾脆地承認暫時把文藝當做犧牲。這並不是罪過，也不是羞恥，

64	普羅文藝底存在

也不是侮辱了藝術。可是後者那些作家偏不肯，他們一方面要人承認他們是革命家，又要人承認他們是藝術家；一方面想那些借了藝術形式的作品有實際效用，又想那些借了藝術形式的作品會變成真正的普羅文藝，事實上自然是不可能的了！

剩下那些專門捧招牌，放火箭，做生意，想專利，多妬忌，爭地盤的五光十色的角色，縱使成天在耀武揚威，自吹自擂，甚至挺出皇帝底人旅，都是些無聊的狗！

十九年三月二十日，於南京。

答一個朋友

有一天，我突然接到一個好久沒有跟我通信
的朋友底信：

"出乎我自己意料之外，在今晚照例行着'書
齋默想'的時候，忽然想寫幾行字寄給你。

"我們幾個月不曾通訊的緣由，諒來大家都明
白，不必多說的。這不是因為彼此忘記，也不是因

為難務太多，而僅是因為對於‘執筆’這件事發生一種畏懼。——至少我自己的情形是這樣。

“……M.H.做了父親之後，中年人風采頗深，不似我們的好談笑。我常到某某通訊社訪他。……當年聚首，轉眼雲烟，天下雖無不散的筵席，而白雲蒼狗，恍懷前塵，惆悵不已！

“我自己的生活，一無足述，人類生存，本無意義！思之復思之，不能得澈底的解說。入世的經驗，使我不像一個思想活潑的少年。不可抗拒的悲哀的侵襲：完全飩化我這個怯弱的靈魂！我現在竭力要麻醉自己，減輕自己的痛苦。我這種類於自暴自棄的傾向，我明知是很危險，但我不能解釋我自己的過敏的感情。我竭力想使自己的生活有意義，而結果是糊糊塗塗，一無所就。愈想越行不通，我懷疑靈魂是一個魔術家，把人騙得莫明其妙！我對物質世界的倔強仍逃脫不出造化的播弄。伺候人生，真是啼笑皆非！日受這大都市的包圍，被逼做着許多完全不願做的事，不僅生活力大部分被遏阻，而心靈復一日加一劃傷痕。這些事，寂默的時候想起來，一種凄冷的況味，是無可避免的。我要忘記一切人間世的悲哀，有時不能不降服現實，裝成嘻笑現世的樣子。這種矛盾，滑稽，把已經破碎的靈魂又分離若干部分。許多朋友還誤解我，我真不知怎樣來表白自己！

"對於創作，我現在提起就要却步。本來有許多很好的資料可以寫的，但執起筆來就甚麼都寫不出。有時被威逼製一篇東西，自己看起來，活像一個奇醜的丫頭，真是無地自容！我真不敢再寫半行詩句了。學而後知不足，我則寫而後知修養之不足。我現在只希望能多讀幾本有益的書。偏見之深，實在無法可想！

"你的專集，由'玫瑰殘了'至於'再會吧黑貓'我

63　　　　　　　　答一個朋友

都完全讀過，我的感想，從前曾記下我給你的信上，我不想再多說甚麼話了。我以爲，如果你的生活安定，總可以慢慢地再寫一部更好的小說。以我個人的歡喜，我是愛一段一段的讀'玫瑰殘了'和'桃君的情人'的。"

我離開廣州已經整整兩年了，這兩年中，廣州許多朋友底生活情形我都不很清楚，原因是他們都不把生活狀况告訴我。現在接到你一封這樣誠懇的信，我是何等感勤呵！

朋友間只有生活接近了才能發生思想上的諒解，這是不可否認的。好像我和已死的卓如，因爲彼此都不明瞭對方底生活狀態，因而思想上起了隔閡，從此更影響到友誼上面了。這夠多麼痛惜呢？

好像在以前，你喜歡"書齋默想"，你畏懼"執

筆"，這些我都知道的，但我不知你最近的情形怎
樣，便無從推想你底思想了，現在，你，（讓我稱呼
你C君吧。）告訴我了，我曉得你依然在書齋默想，
依然對執筆畏懼。

　　C，這真是一種最堪注意的大變動，朋友們不
止M.H.變了"中年人風采頗深"，有好幾個都是如
此的呢！對於這樣失掉了頑皮笑謔的少年性的朋
友們，我倒不覺得如你所說的"白雲蒼狗，悵懷前
塵，悃悵不已！"自然我也以為失掉了少年性是頗
可惜的，但在另一方面，我想得了中年人底風采也
不錯。因為少年人究竟攏不住有甚麼好處，能做事
的恐怕還是中年人。——這個意思你不會誤會了
吧，C，你我現在還是少年人呢，還沒有失掉少
年性呢，在我，還很喜歡頑笑的呢！——不過在這
里，我想告訴你千萬不要畏懼，一個人由壯而老，
由老而死，正是走着最自然的道路。雖然在這個進

70　　　　　　　　答一個朋友

程中你底環境是一天天複雜，責任是一天天加重，困難是一天天增多，而所費的氣力也一天比一天大；但這正是進步的方式。試想，從加減乘除比例開方到代數，幾何，三角，……這才有趣味，假使先從極難到極簡，從老頭子到小孩子，那又有甚麼味道呢？

　　說到所謂"人生觀"那件東西吧，以前那些大哲學家為着撐自己底威嚴的臉孔，硬要大吹大擂，鬧得像煞有介事，其實也很簡單。人類從一顆甚麼鳥子變到現在這個樣子的許多動物，目的就在"進化"。這種"進化"由人類在想，由人類在做。所以一個人生下地來他底當然使命就是"使人類進化。"吃，穿，住，都為了這個；流汗，流血，流腦漿，也為了這個。假使大家拆爛污，都吃飯不做事，就沒有話說；假使一大部份人吃了飯辛苦地在拉着世界前進，一小部份人坐在世界上悠悠然按兵不動，那是不行的。(這就是工作着的人要把不工作的人丟到世界外面的理由。)假使一個人以爲世界沒有拉得動的希望，甚至以爲前進是多事，那我們就要不客氣地請他死掉，不必吃世界人類公有的糧食。這些話你一定曉得比我淸楚，用不着我囉嗦的。

現在，C，請你時常想起我們底友誼，和我一顆忠誠的心，我要對你攻擊幾句了。

第一，你說"人類生存，本無意義!"這就是我最反對的一點。很明白地，你這個思想精細的人，被一種矛盾的錯誤弄昏了。現社會是醜惡得很，現人類也是醜惡得很，這一層你看到了，你看得很淸楚了，於是你怕了醜惡，以爲你一不願與醜惡共醜惡；二不能得善法去肅淸醜惡，就軟了下來，準備離開醜惡而求"解脫"。是不是?C，你錯了，這是一種矛盾的錯誤呵。現世界，據我所觀察的，是常處

在矛盾的錯誤裏面的。一方面是進步着，一方面是
退步着。你就以為這是人生不可避免的錯誤，於是
就掃了興。其實不然，現在全世界底工作者正努力
去掉這種矛盾呢，這種矛盾一去，生活就上了和
平，快樂的正軌。你不看見嗎？天空已經有一角是
光明的了！

　　自從世界上有了"坐享"同"白做"兩種分別以
後，就沒有一天安甯過，你當然看到了這個，也當
然不願坐享，不甘白做，結果就走進了敷衍一途；
而你又不耐敷衍，結果就對現實厭惡，對將來畏
懼，對人生絕望。以前我在T戲院工作時就有這種
想法：我是為了藝術而工作嗎？我是為了大衆而工
作嗎？我是，甚至僅只要，為了我底父母而工作嗎？
不，都不，我只為了吃飯而工作，為了"坐享"者而
工作啊！我也想過解脫⋯⋯

　　你應當朝這方面想：大家都要勞動，大家都能

致生活，大家都能受教育，大家都有娛樂底機會，大家都能對使人類前進的文化事業上有相當的貢獻！任每個人流出的汗，血，腦漿都灌在推進世界的大輪齒上，而不灌在“坐享”者底肚皮裏。這樣，你想過了麼？你還覺得世界不在進化着麼？你還覺得人生本無意義麼？你還想要解脫麼？——我說這些話並不向你說教，因爲這些東西，你本來都曉得的，我不過略爲提醒你罷了！

其次，你在這種矛盾的錯誤裏面，竭力想使自己的生活有意義，這怎麼會是可能的呢？自然是徒勞，而結果也自然是糊糊塗塗，一無所就。於是，入世的經驗，使你不像一個思想活潑的少年了；不可抗拒的悲哀的侵襲，完全蝕化你那個自以爲怯弱的靈魂了；你現在要竭力麻醉自己，想減輕自己的痛苦了；你有了類於自暴自棄的傾向了；你愈想愈行不通，懷疑靈魂是一個魔術家，把人騙得莫明其

74　　　　　　答一個朋友

妙了；你自己承認逃脫不出造化的播弄了！凡此種種，無非是你自己不想改造現實，而只想在矛盾的錯誤底現實裏面，找尋合理的生活，合理的人生意義！說得好的 是你為環境所蔽，見不到事實底眞相；說得不好的，就是你有了惰性，不肯殺進人生底戰場。又比方你想在雙方都用着開花彈機關槍拼命的戰陣裏找和平與安靜，那是多麼錯誤的呵！

　　再其次，你下了沉痛的斷語了：伺候"人生"眞是啼笑皆非！

　　你這個沉痛的斷語使我流淚，使我想起過去的生活以及一些現在正和你一樣的朋友，為他們嘆息。跟着，你又坦白地告訴我：你被逼做着許多完全不願做的事，你心靈劃上傷痕，你不能避免回想時的淒涼的況味，你不能不裝成嘻笑玩世的樣子。這都是當然的結果，我浸在對你做惋惜的同情和安慰。

　　C君，你這樣生活狀態無疑地是絕對不合理的，你要趁早改革，免致將來因裝嘻笑玩世而成了眞的嘻笑玩世，那就斷送了一個思想活潑，遇事鎮靜的青年了！你始於懷疑，而終於裝假，這在兩年到已經大槪是如此，這一點你想必受了魯迅影響，而弄到沒有出路。

　　C，望你現在把你底觀察力和判斷力再集中去做一囘工夫。隨後把你底理想決定，隨後再努力去實現你底理想。至於說到你目前的環境仍要你不得不暫時敷衍，或者你仍要繼續在學問上用功等等的話，我不反對你，只要你有了信心，只要你有了堅定的理想，一切在你都將成實現牠的工具；而只要你有了信心，有了堅定的理想，你便可奮勇向前去。

　　對於創作，你一提起就要却步，我看出這是你底好處。不過這並不是你寫而後知修養之不足，這

76　　　　　　　答一個朋友

與修養無關，而因爲你沒有合理的生活，那能寫出滿意的作品？好像我現在的作品，我也無法使自己滿意，不過我抱定理想，把文藝，勞動，生活認作三位一體。只有勞動才是眞正的生活，只有眞正的生活才能產生眞正的文藝。——現在或將來我都在極力使牠實現。自然，我們都沒有上海那些普羅文學家那樣的本領：過着資產階級的享樂生活，一方面是大革命家，一方面又是大普羅文藝家，大新興文藝家。這一來，靑年人崇拜他，中年人不敢惹他，老年人害怕他。這眞是頂號嶄新的英雄呢！

　　關於我的作品，和你底意見不同，我是喜歡用"再會吧黑猫"以後的方法去創作的。

　　　　　　　　十九年四月一日於南京。

雜　碎

——答Ａ君——

1.　形式底傳授

你徵求我對於目前中國文壇的批評，我實在答不出甚麼。原因是我和目前一些努力新興文學的作者們底生活不接近，大體上的主張雖然看得出來，詳細的步驟就不清楚。不過以我底微薄

78　　　　　　　　　　雜　碎

的學力來粗粗想一下，自然也有些意見，可以說一說的。

目前中國底新興文學，可說正在開始期的幼稚時代，而前途的大有希望，就在這淩亂混雜的狀態中也看得出來。比方最近在"拓荒者"第二期發表的"鹽場"一篇，使你看了就曉得新興文學已在牠最自然的進程中，逐漸地把作品完成了。這使我很高興，因為以前那些"歸家"或和"煙囪"式的普羅作品，現在自己會曉得是壞到甚麼地步！那麼，既然有了這樣的成績，將來的發展是怎樣的呢？這成了很值得談談的問題了。

我們所以從現下一般作家本身看起。

他們是社會科學底研究者，是從事實際工作的革命者，而裏面大多數是小資產階級。於是就必然地生出了一個"克復意識"的問題。我們曉得，假使他們本來都是普羅，那自然就早已具有本階級底意識，用不着"克服"；倘使並非普羅階級，而只在用腦去克復，那是不可能的事。我以前說過，一個人不能夠在跳舞場，咖啡店，電影院裏是資產階級，而提起筆來却變了普羅的。所以要克服的是生活。生活改變了牠底方式，意識也改變了牠底本態，用不着克服。

所以我主張勞動，藝術，生活，結爲一體。那他必然會成爲一個眞正的戰士。一個世界進化底推動者。

不過社會是人類中最複雜的東西，一個人在裏面生活着而想把生活的方式改變並非一件容易的事。在他未能達到理想生活之前，卽是他底生活依然是"非普羅階級"之前，他最大的努力是把藝術形式傳給未來的作家。——我是這樣想。這樣，我們會曉得目前的作品，只是一個過渡的橋樑。作家們，都把自己當做過渡期底犧牲者。由了他們底提示，催促，扶助，普羅文藝會慢慢地生長起來。

　　自然，由於他們努力"克服"，他們會慢慢地將那些會給未來作家以不良影響的東西逐漸減少以至於無。

　　不過，誠如你來信所說的："他們底氣焰高騰了，以為已經是了不起的文學家，而且將要到了論功行賞的地步。"不過你別誤會，那只是一小部份的狗東西在那里耀武揚威而已。並不是每個都如是的。他們底心理也很簡單：既曉得目前一般讀書的都是小資產階級，（自然自己也是。）而想用一種方法恐嚇和誘騙他們，使他們戰慄於自己底權威之下，穩穩地保持自己底雙料桂冠！你想對嗎？也正如你說的，想聲明只此一家，並無分店。我以為假使他們要把工作專利，那倒只是太熱心的結果！倘只在虛榮權利聲勢派頭上面着想，那却是無恥。他們不曉得自己底責任，也不曉得自己寫的並不眞正的普羅作品。

2. 普羅階級底作家

現在要普羅階級裏面馬上產生作家出來,那只是反對普羅文藝者說的風涼話。文藝須要有巧,技巧要經過練習,在現社會裏面的勞動者,不識字的佔絕對多數不必說,就是識字的吧,除了偶爾拿有多量荒誕的舊小說消遣而外,那里有練習文學的機會?勞動者們既然自己創造不出文藝作品,那麼小資產階級底份子投身進去,自己變了普羅,那豈不可以嗎?A君,這正是我想說的,可以。不過這仍不是根本辦法,因爲這樣一來,縱使投進去的可以成功,但仍然與全體勞動者沒有多大關係。誰都曉得他們是沒有受教育的機會的。歸根,這里生出一個把勞動者們底生活形式改變過來的理想。這個理想實現的時候,勞動者底生活提高了,也有了普遍的受教育的機會,從非人底地位回復到人,跟着，慢慢地、在十年以內，作家都長成了。──所以第一步還是去實現那合理的理想。

這麼樣想着，所以目前要求的是行動。於是產生了"武器"這個名詞。

從這個字底意思看來，那你就會明白啦。勞動者目前不止談不到創造藝術，還談不到欣賞藝術；不止談不到欣賞藝術，還談不到識字，（就大多數講。）不止談不到識字，還談不到維持生活。（也許有一部份勉强能維持生活，然而因了被搾取的關係，在過着非人的生活，因而也談不到識字。）

這就很明白了，先把他們喚起來努力恢復人底地位。但他們自己是些肉棋子，被人家一顆顆地下着，而本身却莫明其妙；那麼，這里就要有人去把他們喚起；那麼，這個責任無疑地就落在小資產階級底智識分子底肩上。可是智識分子好多是中了資產階級底毒的，清毒劑在這個時候是需要了。

"武器"便是清毒劑。

3.所謂新興文學

我最不贊成用普羅文學這個名詞做現在賣文的招牌。理由是很顯明的，那個是普羅呢，一些作家們？難道用了同情和觀察，就可以從腦裏造出一種東西來，牠會使一個人改變了他所隸屬的階級麼？否則大家都不是普羅，而會造出普羅來嗎？所以與其好聽，不如用"新興文學"這個名詞。——這問題雖小，可是却有改正的必要。否則倘若說幫助或"同情"普羅的就是普羅文學，那就會弄出笑話來的。

我在某個地方又說過，到了實際行動，一篇小說或一篇詩歌是沒有用的。這也是說，政治和文學完全是兩回事。就使牠們有點關係，也好像運動與娛樂一樣。一個人當然能兼做兩椿事體，可是傳單宣言，通電，究竟不能以小說或詩歌底形式出之的。（也許在好遠遠的將來，會是可以的吧？）

跟着，我們可以提出兩件事情：

第一。一個革命者只看到革命底利益而忘却一切的。

第二。目前中國底文學讀者都是小資產階級底智識階級。

我們於是乎曉得：他們只要於事實有利，世界上一切的東西都可以是工具；而他們也曉得非要把中國底智識階級改造了，（這就是服一劑清毒劑）。前途的希望是很少的。所以就決定了這一步。（我在另外一個地方說過爲達到宣傳底目的，不如用理論比文藝好。我底理由是用理論比文藝正確而直接，而且不必拿文藝作品去做犧牲；說話用不着轉灣，而效率亦高。但我現在又發現了一個原因：這種現象是旣想革命又愛創作的文學嗜好者弄出來的。他們底靈魂不能不找安放的地方，又不能不找發表的地方。）

那麼，A君，他們去創造武器了。這用不着我解說了吧？所以所謂新興文學這種東西，既不是普羅寫的，也不預備給解放前的普羅看的，（好像魯迅底工作。）所以，我說這是一種策略，而文學做了犧牲，你以爲對嗎？

因此，對於文學應否拿來做犧牲的問題，你可以有了判斷的充裕的資料了。

4.文藝大衆化的問題

假如還一定要說那是眞正的普羅文藝，那麼只要一想起"普羅文藝大衆化"這七個單字，就會撥笑起來了。

世界上會有這樣的事麼？普羅文藝底理論也完成了，作品也有了，而"普羅"自己還不知道，還要別人把牠們化進去，就是，還要人敎他們看，這不滑稽得好玩麼？

　　自然，我是在說，要已經大眾化了，要已經是普羅寫出來的東西，才叫普羅文藝。

　　就實際情形想一想吧：現在全中國能識字的有百分之十；（不能確定。碰着魯迅這必得加上"據說"。）全中國底勞動者佔百分之八十以上，（同前例。）那麼，在勞動者裏面，至少有百分之九十九這又是想當然的了。）是不識字的。根據四萬萬去算，就有316300000（三萬一千六百八十萬。）人絕對不能接受文藝作品。讓我們說短一點，在最順利的情形之下，也要十年工夫他們才能由識字而造句，而成篇而寫文藝吧？那個時候的普羅作品會跟現在的"普羅作品"相差到甚麼地步！

　　讓我們囘到大眾化這邊來談實在話。

　　你在書鋪裏看得到的是：道林紙不切邊，橫排面有美麗的封面，定價總在五六角大洋的文藝作品；或者厚到八百頁，定價也在四五角的文藝雜誌。勞動者放了工，敢跑進書店裏嗎？敢翻動這些莊嚴燦爛的東西嗎？這還是說男人，假使女人同孩子，那不必講。所以接近他們的是馬路邊小報攤上的"晶報，上海灘，大秘密……"那些。

問題本來也就很簡單，只要努力多辦一兩份小報形式的最淺最淺，淺到"不成文藝"都可以為文藝刊物，交給小報販去賣去。否則文藝是弄通俗了，而讀的人偏愛高深，那一定很精。——不過就是這樣一來，一切問題都解決了嗎？自然還不！

原因很多。比方在上海能辦，在別地就"朝聞道而夕死矣"了，這是問題中的一個，其餘的自然還有，而最重要的是連小報有三萬多萬人都不能夠讀。有這種障礙，文藝怎樣大衆化得來呢？

A君，讓我們再想一想別的法子吧？先敎勞動者識字，好不好？對，問題都解決了，而解決的結果是"全無辦法！"

88 　　　　　　　　雜　碎

　　文藝是社會底上層建築物，這句話沒說錯？那麼：當一個建築物沒有下層的時候，牠底上層從甚麼地方找根繩子來弔在半空中呢？

　　所以，說得脆脆地，正如我要答覆你信中那個重要的發問，我說，把筆放下吧，我底朋友，別的事情要緊呢！

　　請看下文：

5.說得脆脆地

　　我底劣根性，這一回連我自己都看出來了。啐孽！那麼嚴重的問題，而我才用了"脆脆地"這三個字眼。

　　比方你要故意挖苦我：'那麼，你也把筆放下去……"那一定是你底勝利無疑。

　　否則，你就要問我："你目前打算怎樣呢？"

　　說起來是慚愧。我是以為勞働藝術生活三位一體的，可是在目下——這就指在我執筆回信給你的時候——我是沒有半點具體的辦法。不過，我底信念並不因爲沒有辦法而減少。所以我仍然可以把我底意見告訴你。

倘使你再問：“當你底理想沒曾實現之前，你做些甚麼？”

那我就更難囘答，然而這是不能不囘答的。不過倘若我不作直接的答案。你就不能在下列的言語中間，得到我底意思麼？

　　○　　　○　　　○　　　○　　　○

一個人困難的是一方面做事一方面要活，比方我們這些一無所長的人，除了在原稿紙上寫幾個字來賣錢之外，是沒有辦法的。有一個朋友勸我，說賣文很容易使作品商品化，我也就曉得，可是不賣文會使人變了鬼化，那又怎樣呢？這理由很可以應用到許多作者，一方面把以前那些東西大叫一聲“去吧！”一方面就拚命交給書局印行，再一

9) 雜 碎

方面又寫點新的浪漫主義的東西把自己底面孔點綴點綴，表示自己沒有落伍。這是一條康莊大道。因爲他貨色多，新舊各色都有，自然會有了各樣的主顧去選擇。這樣一來，誰也不知道他是眞是假，可以安安穩穩地賺幾個錢去跳舞。

其次便是翻譯。這雖然有點筆，可是榮譽仍舊可以得到，錢也依舊可以得到，旣不得罪官，又不示弱於人，這叫公私兩便。

總之，生活底方法正多，不必顧慮的。A君，你要看清楚我底話，我將來一定是走着非創作卽翻譯的路的，因爲這兩條路，不是開玩笑的，誠有上述那些優點。文藝做商品，這已是當然的事，用不着諱言的；創作和翻譯能名利雙收，也是當然的事拉！

至於我底眞意，就是恐怕我將來創作和翻譯的時候你罵我，所以我先罵了別人，你就會想“他既然罵了人，他當然不會是那個樣子的。"

　　小資產階級的智識份子你瞧聰明不聰明？倘若我將來寫的東西竟不及一塊小木板那麼可以拿來做武器，那是我底聰明還有不到之處。

　　說到自己底本心，似乎還可以連帶說一句話。就是我以前說過，"到工廠去"。有兩位我底好朋友為我担心，一個恐怕我變了莫泊桑，一個恐怕我捨不得目前的生活。我一想，也有道理，誰也保不定自己不會變莫泊桑，誰也保不定自己必能捨棄目前的生活，所以在這封信裏，我把這句話吞住了。恐怕將來我辦不到的時候，你會把我底嘴巴|……

　　而且一個人本來就很軟弱，宣言是發了出來就收不回來的。萬一我克服不了環境而被環境克服了我，那時一切都不用說，我已好甘心去做虛偽的壞人了！

　　A君，這里不是脆脆的方法也有，掩飾的方法

92　　　　　　　　碎　　雜

也有，等死的方法也有，聰明的方法也有了嗎？

　　到了這裡，我對你是盡了責任了。

　祝你好！

　　　　　　　　　　羅四·十九年四月八日~

第 二 部

詩 兩 首

墳　　歌

一六年六月一日作處

一九年四月六日改作

前 百 節

墳　歌

你不要臉的女人，
今天真要揭開你底面具？
呵呵，誰要留你呀，
你想去便去！

94 填 歈

不過你應該記得，
我獻給你的香酒是何等芬芳？
我估不到這樣的美酒，
竟濕潤了你底荒腸！

我獻給你的心，
就好比麗日在晴天。
我獻給你的心；
就好比藍月在海邊。

呵呵，其實我早知有今日，
不過詐作癡呆！
你又何必裝腔作勢，
說以前你我是相愛？

你不過當我是一個物件，
拿來應你底急需。
到你有別樣物件的時候，
便可以將我拋去！

哈哈，你還要說你是一位端莊的姑娘，
誇得比天上的女神還要高尙；
這只好怨我自己底愛情，
在生命底園中白跑一趟。

或許你還要說我汚辱了你，
你要後悔把肉體向我供獻，
倘若你知道我是個無賴子，
怎把尊貴的東西當比等閒？

96　　　　　　　　填歟

冬風趕着秋雲，

光明怕了黑暗；

爲甚你不擋着冬風，

只在夜中替光明嗟嘆！

呵呵，你古怪的女人呀，

就使我叫你一聲"姑娘"，

瞧你身上那些罪痕吧，

那是誰呢種的災殃！

你對我只有讚誚，

我對你便得謙葆；

請吧，這樣的戀愛我幹不來，

對的，我自己原是迷惘。

我曉得我面前走過的女人和男子，

他們都不懷著好意。

你也是錦府叢中的一個呀，

我怎能叫你永不將我捐棄？

這時，這時呀，

我還端立在巖頭，

你，感謝你喃，

還沒有誘我向深淵盲走。

這時，這時呀，

我還延佇在峯頂，

你，感謝你喃，

還汐有送掉了我底生命！

83　　　　　　　　　　墳　歌

那怕當前就是虎口，

我也懶得伸開我底兩手；

橫豎我是個永刼的惡人，

你何必把我毒恨！

當然我不是一個强者，

我只可算是一條死蛇。

生前他雖然作惡，

現在却賸個空売！

我給你的深心你不知，

反咒詛我說替你掛上了個"紅字"。

呵呵，甚麼把你底天良掩蓋？

偏偏會將好作歹。

雜　　碎　　集　　99

你要我向你投降，
那你就簡直不用想！
可憐往日那一段恩情，
到今日就不能把你底心船縛定。

焦煤和黑炭總是一樣支烏，
愛情和人生也是一樣悲苦？
你去，你去，對你我無多別言！
你去，你去，對你我無多繫戀！

我見過永別在別人有那般傷悲，
我見過永別在我們有這般異味。
你既然以我爲賤狗，
我何必以妳爲皇后？

我縱然由髮到腳把你吻遍，

也不見得便囘你底愛憐。

就使你把愛憐還了我，

我也不能把吐了的骨頭再嚼過。

你迷我也算迷得不淺，

我底過去都算了枉然。

明月捲着褲脚在渡着淺江，

那時誰瞧得真你底模樣？

你以爲這樣可以窘我，

呵呵，我當然記得我底情歌。

那有甚麼奇異？

不錯，是我唱的：

我比你以湖裏的明月，
因爲你和她一樣無邪。
可是呀明月只是這般冷，
她怎能和你相爭？

"我比你以天上的明星，
因爲你和她一樣婷婷。
可是呀明星只是這樣癡，
她怎能和我相依？

"我比你以蒼空底太陽，
因爲你給我的溫暖和他一樣。
可是呀他距離我那麼遠，
你却可以用手彈我底心弦。

102	填 歌

"我比你以我底妹妹和姐姐？
她們對我都沒有你那樣親熱。
她們只接吻了我底外形，
你却吸住了我底內心。

"我比你以我底父親和母親，
因為你們都愛我以至骨之眞性！
可是他們和我分開了兩個世界，
我底一切他們不會瞭解。

"我再比你以含笑的紅花，
因為你們對我都以慰藉相加。
可是呀她們都是有魂無體，
怎當得你亭亭玉立？

"我再比你以午夜的鳴鶯，
因為你們都有宛轉的嬌聲。
可是呀她們都是有體無魂，
怎當得你這樣地把我滋潤？

"萬千古昔的佳人，
像西施，Helen，與太真。
可是她們都剩了一堆腐骨，
怎比得你肌柔如酥？

"你白皙的肉直是溫柔的雪片，
你烏光的眸子經過蠱露的洗染。
你脣兒是玫瑰般紅，
你髮兒是輕雲般鬆！

104　　　　　　　　墳　歌

"你待我就這般溫存，

我軟得嫩草般柔順。

你兩臂和兩股就像囚人的牢，

在其中我被緊緊地摟抱！

"你羞時羞得那麼癡紅，

你喜時喜得那麼顫動！

呵，當我們在青草上共臥，

我想吞了你又想你吞了我！

"你怒時就像無言的天使，

你笑時就像花神飛至。

你哭時就像雨中的春樹，

你愁時就像陰晦的明珠。

"姑娘，怎麼能把你形容恰似？
除了那神秘的無形之字！
呵，我們狂歡的時候，
宇宙整個地被我們領有！"

哈，這每個字都是我崇敬你的呼聲，
如今，這一切都成過去。
我將永不向人訴說我底奇遇，
我只空撲了無數墳頭的野螢！

其實這些螢光都是點點的鬼火，
你再不要把我當作昏瞳，
還有力叫我長跪？
如今呀如今你奈我何！

106　　　　　　墳　歌

你還在我面前詐表笑容？
我已經把你所有都識破！
你背了我唱詛咒的喜歌，
你當孩子似地把我玩弄。

難道叫我再上尖鉤？
你裝了這一派假臉。
相好是在四年之前，
如今是在破離之後。

你記不當年的女伴，
如今他屬惡魔所有？
我們底心靈也曾隔斷，
呵，此外我尚有何求？

雜　　　碎　　　集　　　　107

童年底情緒，
此時已盡付流水；
戀愛底悵惆，
何時能盡付長江？

我並不求甚麼名譽，
名譽是醜惡底衣裳！
我將永沒有凱歌可唱，
我可以無言地離開故鄉。

別了，姑娘！
我不將心情對你高訴。
別了，悵惆！
我不將靈魂讓你誅殺。

108　　　　　　　　填　歈

呵呵，你幾曾見我眼中帶淚！
呵呵，你幾曾見我含愁相對！
這樣在我原沒有悲哀，
因為我早知牠會毀壞。

愛情永不會永遠存在，
牠當要漸漸自趨毀壞。
悲哀在我又可說常慣，
有誰為我汲取些慰安？

青年底夢幻，
長存我心中。
誰要在枕邊尋求舊夢，
那才該受命運底摧殘！

雜　　碎　　集　　　　109

我唱不出動人的哀歌；
無言地和你決絕。
那何嘗有甚麼愁與悅？
我懊悔心常比愛情多，

你對我如此驕矜，
算是毀裡了我底生命？
對你，我實地全不明瞭？
你呀你竟忍心對我譏笑！

往時我摟抱你底纖腰，
你底脣兒嬌媚地輕搖；
如个呀到處是落花，
為何我們底蝴蝶永不回家？

140 壞歌

請莫把諷刺藏在笑裏，
我當然分不清木偶與王姬！
清風吐自你底口，玉人？
牠才是那樣地使我惱恨！

我並不會追悔，
其實我並沒負罪。
你却會將我儘量侮弄，
也會和我指誓向天公！

也許你以爲我不久將歸黃土，
你怕犧牲了你底靑春。
我願將我底情血生吞，
再不願將牠向你嘔吐。

雜　碎　集　　　111

你也該懂得覆水不能收，
往事我們正無須回首。
縱使蒼天能夠重明，
但是喲，愛情能夠重新？

誰要你勸我珍重？
我倆此後永不會重逢！
愛情現在正如嬌艷無倫的女尼，
早已被送入上帝底神宮。

呵，你看睛雷驚散密雨，
凝陽重據着天空。
他懶懶地照着人間，
不管濕雲猶蟠在空中。

112　　　　　　　　墳　歌

你不用向我致哀懇之詞，

你不過想將我播弄。

我獨自宰我那破碎的靈魂，

不願他人與共！

你不用向我致哀懇之詞，

你只說得這般好聽：

哥呀，那只是一時的錯誤，

為何你竟忍心拋棄我倆底溫情？

"我是一個弱者，

我永永需要人底幫助；

你為何擯棄了你底愛者，

讓她獨個兒這般苦楚？

雜　　碎　　集　　　　113

"你仍否記起當初?
我和你同游同學。
你給我穿一條觀音珠的項鍊,
我贈你一把小小的牙梳!

"那時我們底童心是多麼惌龍,
而今又成了昨夜的幻夢。
今天你我又要決絕,
三年之前呀我們正欣喜着重逢!

"難道從此我倆便永莫重逢,
除了在陰森的地府之中。
誰能夠把往事帶到我面前?
好讓我含淚再和牠相見。

114	填　歌

"哥呀，我曾將我底處女之身做犧牲，
供獻在你底神魂之前。
當時你也說過永不負我，
爲何今天又有這般的慘變！

"你也太忍心，
你不當那是海誓山盟！
只承認你當時怎般說，
是情慾衝燃的結果。

"我曉得這不是你情薄，
那完全是我底錯過。
我不該令你生疑，
我不該冷落了你；

雜　　碎　　集　　　115

"我更悔我一時不慎，

又失身給別人。

可是呀我何嘗是不要臉的女人？

當初我也曾萬般謹慎！

"回來吧，假使我死時，

我底墳台要你修掃；

回來吧，假使我生時，

我弱小的身軀要投進你底懷抱！"

你不要臉的女人，

我眞佩服你底聰明；

不是你這般無恥，

你怎說得這般好聽！

116　　　　　挽　歌

對了，錯就是錯！

於你並不相干。

我只跪請那空中的怒雲，

要突起眸子向人間細看。

哦哦，你去了。你負氣地去了，

唉唉，我底可愛的小姑娘。

你瞧見我面對你時那般驕傲，

你那里瞧見我你去後的神傷！

唉唉，我底可愛的小姑娘，

我倆底愛情就從此死殭？

我有甚麽臉再見世人，

我正如他們所說的歹人一樣！

雜　　　碎　　　集　　　117

那晚漂潑的大雨，
你竟不肯在我這里留住。
你只說你不情願，
你說不出拒絕我的原故！

好！你這樣對我好算你意志底堅强，
你那里顧得到你對手底悲傷？
我也正要做個自由人，
我不能再在你底羅網中久困！

你講遍千篇巧語與花言，
你說對我的愛情並未中變。
你底手段眞叫我震顫，
難道你叫我再下跪在你跟前？

118　　　　　　填　歌

值得感謝你的是你所贈與的悲哀。

我曉得你底陰謀是想將我前途破壞！

哦哦，你還對我假情假義，

想攫取一切絕對的便宜？

請莫這般自豪，

以為已經把我底人格催挫。

唉，我倆底情義就斷在今宵，

相逢怕只好等在冥地陰曹！

我倆底愛情，

我已經用金錢證明。

前天我送了兩樣東西給你，

你對我便分外殷懃！

唉，這麼大的世界，

唉，這麼廣的人間；

誰當眞忛我憐？

誰當眞把我愛？

S.S.君你曾說他不足相交，

你現在對他比我百倍好。

S.T.君你曾說他十分討厭，

你現在對他却這般纏綿！

唉，倘若愛情底代價是金錢，

我又何必多言？

我縱有滿胸愁苦，

又將憑何伸訴？

120　　　　　　　挽　歌

唉，倘若愛情是發生於求利，
那麼我情甘將愛情毀棄。
我縱自牢騷滿腹，
也決不作短嘆長呼！

唉，倘若愛情沒有犧牲，
愛情有甚麼存在底可能？
這條達到完成的人生之路，
誰不曉得有百般的險阻？

哦哦，我一生合是這般孤獨，
有誰能助我一哭？
生命換不到黃金，
黃金緊壓着生命。

雜　碎　集　121

我原曉得那是死之蜜露，
我又怎能頻頻怨苦？
唉，那夢裏殘落的孤芳，
有誰在夢裏將她底殘骸埋葬？

我完全把你引進了迷路，
你，我也再不想把你怨毒！
呵，當初你並非全不知曉，
萬事只好等待死滅在明朝！

你有你華貴的靈魂，
你怎忍將自己底生命讓別人活吞？
哦，今晚的露水，
哦，明朝的眼淚！

12: 墳 歌

天堂底百花縱然盡開，
人間底春天還未到來！
你看，那花斑蛇向你搖頭，
他叫你再不要忍耐。

你那晚把我底人格毀壞，
我就叫你不要到我這里。
現在我不只對人生惰怠，
呵，現在我對情愛倦疲！

是你把我侮辱，
是你把我中傷，
現在只好撇開，
等到末日算賬。

唉，這細雨，
唉，這悲風！
年年一般地摧折嫩芽，
虧負了當年灑下的愛種。

哦哦，這戀愛是畸形，
像每個，每個黃昏。
為甚總是晝夜不分明，
不分明呀一樣渾沌。

當年撒下了野火，
反燒了自己底愛果。
呵，這一片虛白的殘心，
正如曙風裏的疏星！

124　　　　　　　　填　　歎

唉唉，這一別怕算永久，

傷懷淚夜夜空流。

我想將淚之殘痕託付花片，

等她乘風飄飛到你底房間！

飄到你底窗前，

你那琉璃葉兒深掩。

那門兒又緊鎖，

她永莫能進你房間！

愛情縱自等閑，

怎當得呀這仇深怨重？

果然春風是要消逝的，

我當然識錯了春風。

心懷是陰雲，
淚兒是雨珠；
明知夜深是哀愁倍常，
為甚麼在夜深把往事留住？

咳，天公沒有把我們待薄，
這種種都是自己作孽。
我不信天既生人，
又要降愁苦在人身！

我們信人間存在著惡魔，
他們手裏拿著那些命運之鎖；
因此我就使長埋在愁中，
也難將悲哀避遠。

126　　　　　　　　墳　歌

女人是惡魔底爪牙？
爲甚麼你底靈魂黑如烏鴉？
我如今已無可奈何，
好吧，姑娘，祝你快樂！

過去，真像一朵曇花，
如今，在生與死中掙扎。
姑娘，我有爲你而生的勇氣，
我自然可以用生命殉你！

我並非不想新生，不想新生，
只是要離開——唉，愛底途程，
如今，遲了，我已無可奈何，
惟有獨個兒自唱墳歌：

節 百 後

當我獨坐墳頭
在獨唱墳歌！
我仰淚問天，
罪孽在淚前飛過。

"你四野的陰林，
都來，都來靜聽。
請別擾亂我底悲歌，
請別咨嗟和錯愕。

1.8　　　　　　　填　　歌

"你所有的鳴蟲，

都請放下絃弓；

聽這紛亂的留言，

聽這臨死的詩篇。

"你一切走獸與飛禽，

都請暫時住了哀鳴；

你們本應和我一同歷圾，

我如今要先你們而狃謝。

"所有人間的男男女女，

你們都是我跟前的伴侶；

請別要，別要愁悶，

我在陰間會娛樂你們。

雜　雜　碎　　　　129

"可是你們別要當我是衰頹，
這不過是我酒後的靜睡。
更不必為我傷心，
因為我終有一朝要醒！

"你陰險的窮苦，
老是那麼渺茫。
我雖走到末路，
也不對你訴苦！

"你不平的地母，
臉上老是染著赤黑的色素。
我要你底長手撫我底衣襟，
待他來到，那太陽底光明！

130 填 歌

"你流動的江河和屹立的峻嶽，

是那般浩蕩與巍峨；

可是我明天便要離開你們，

讓綠草覆着我底屍壳；

"你娟素的蘭蕊和靜穩的桂花，

我不願你們相從於地下；

別怕，親愛的妹妹們喲，

我不過在臥看雲霞！

"哦哦，一切都涕淚泫然，

同盟的誓書要洪血點染！

唉，河伯，你冷冷，冷冷，

在不斷地搖着喪鈴！

雜　　碎　　集　　131

　　"哦哦，風姐你從山背趕來，

　　香汗佈滿了你底前額！

　　聰呀，聰呀！縱使唱得不和諧，

　　你們都睛沉默嗬沉默！"

· ·

I. 坤　　非呀坤葬，

　　　　我將與這些白骨同列同行。

　　我長望着耿耿的星河，

　　我長離開人類底漩渦。

　　告別呀告別，

　　你一切來生！

　　呵，這三寸黃葉，

　　將長戢我底孤影。

132　　　　　　墳　歈

飄飛呀飄飛，

我將乘這黃葉飄飛。

這時是節正黃梅，

在我底墳頭，雨打殘碑。

這無情的急雨，

像特意把我安慰。

我失却了一切、

這凉雨却不曾把我拋棄！

II.我是充滿怨毒，

　　我是充滿罪惡。

死未降臨之前，

先要埋葬那自我！

口我呀，呵，自我！
不要再翱翔於寥落。
你且爲我先做犧牲，
我底眼淚不再空等。

孤居寂寞時，
你說憔悴欲死。
他日翩土騰空，
氣息化長龍！

今天傾斜了生命的鐵塔、
塔下原是"自我的黃沙"。
明天遺宇宙虛寂，
我將不再做輕微的嘆息！

134	填　歌

III. 我　昨夜夢入天門，
　　有許多赤體的女人跪拜尊神。

我底祭禮是"高傲"，

神只對我微笑。

他用手撫按我底胸襟，

他用光撫按我底內心，

他賜我以和血的生命，

說是能治好我底"人病"。

我問他以毀滅的人豪，

神只對我微笑。

我問他以狂妄的高傲，

神只對我微笑。

雜　　　碎　　　集　　　135

我遍覷那些跪着的女人，
見她們都是兩臂前伸。
呵，這些都是死殭，
這些都是幻相！

IV.狂
舞，狂舞，狂舞，
狂舞以終古！
跳動，跳動，跳動，
跳動血影中！

黑色的狂舞，
我緊摟着流雲。
赤色的跳動，
我跪吻着西天的彩虹！

136	填　　歌

我底碑面都繡滿蘭花，

我底墓週要把垂楊栽遍。

讓他日薰風多情，

携楊柳以頻唉蘭面。

死，死，死——

是你在鋸木爲棺？

亡，亡，亡——

是你在吹弄喪管？

Ⅴ.雲　時間滿山哀歌，

　　雲時間滿林悲唳；

你有情的衆生呀，

不要學人們揮淚！

我凝眸望着空海，
海邊傳來萬里的囂喧。
我低頭望着大地，
大地變了枯寂的荒園。

這時我恢復了呀一點人氣，
我不再痛哭着人生百事悲。
我更深痛這番別離，
空剩了如許的愴懷！

生和死的分界，
那里有靈犀存在！
獨哭明月中，
淚影更惹寵。

138　　　　　　　　歌　壇

VI. 休

將愛情向殭屍提起，
我要奔赴幽悅的明宮。

我正如落水的蜘蛛，
滿腹的情絲向那兒迎送？

我底生命已經起了最後的迴瀾。
那是證明牠已經死滅！
縱使我底靈魂是無瑕的淨潔，
對鏡兒也要使我萬分羞慚。

呵，生命底迴瀾，
呵，生命底羞慚，
今天在這里總結，
我不久便要死滅。

我底宇宙既沒有"啓明"，

也沒有燦然的"長庚"。

長是這般昏黑，

長是這般冷！

VII 假
使我死時，
在那冷人的五更，

我定將泥醮珠露，

把我底哀歌寫成。

那時是四野無聲，

我就把我卑污創造。

我將心血織在葉上，

讓人們把牠焚燒！

140 哀 歌

在眾鳥噪林之先，

我把我底哀歌獨唱。

不惜驚破了他們的好夢，

我只要我底歌聲清朗。

我要唱到上帝垂淚，

我要唱到太陽步停。

人們聽了這歌兒，

便要長睡不醒！

VIII 我不能向人間委曲求全，

我不能使人們如願。

因此我便永和人們離開，

因此我便永和人們遠遠。

我本想和他們接觸和親近，
但他們總和我離開與遠遠！
世人都把我擯棄、
呵，我還有甚麼留戀！

為追趕那驕人的落日，
我將乘着西去的長風。
為眺望那逝去的愛侶，
我將攀着綺麗的彩虹。

我舒洩了最後一口怨氣，
已經沒有殘暴的餘勇。
我探得所有花中之最香者，
跪向我底碑門獻奉。

142　　　　　墳　歌

IX. 淚　將永和墨一般濃，

笑將永和血一般赤。

如今笑都成空，

却剩了一個活屍。

這活屍也將永永掩埋，

他底唇兒長吻黃土。

他墳頭的含媚的白花，

如今也披了一身縞素。

此後任狂風暴雨之前，

照耀我的有一條條的流電。

不怕是四野寥落，

枯葉會解我寂寞！

我可親的衆鳥呀，

當燦爛的金輪徐升，

在濕香的早晨，

勞煩你們喚我幾聲！

X·當 建設的毀滅呀，

當毀滅的建設。

已消蝕的愛悅呀，

已褪紅鮮血！

若將生命比以小草呀，

小草自比生命好。

生命只是這般下賤呀，

小草還能欣然滋生在孤島！

144 　　　　　　　　　 墳　　歌

我在前曾夢入孤島，

見衆草都在把生命創造。

她們都充滿悅意地在苗生，

不怕物外的煎熬！

我囘到世界，

我禁不住萬分焦燥；

人呵，你低等的動物呵；

那生命，那生命不如草。

XI. 我向那里逃避？

　　　除了是在夢境！

雖願長在夢裏逃避，

可恨好夢終於要醒。

如今我無悔，
如今我無愁；
趁天上還有微光，
快把這死趣享受。

在人間要受人欺凌，
不如在這兒給牛羊踐踏；
他們雖毀了我底墓碑，
我到底不願受同類的壓霸！

如今在入墓之前，
忍不住我要狂笑。
千年後誰敢把我底墓地掘開，
那我底笑痕呀總會給他找到！

146　　　　　　　墳　歌

XII.這里有一瓶紅酒，

　　來結我一杯杯洼上。

把你底影印在酒中，

把酒兒呀慢慢地親嘗。

舞呵，舞呀；舞呀，舞呀！

來與起你們底葬舞。

戴起你們那綠葉白花的香冠，

穿起你們那紅冕紫露的衣服，

不必相憐以同病，

不必謝主人的豪情。

唱呀唱呀不要停，

這宇宙不久怕要歸寂靜！

呵，是人類在作戰？
那裡的戰琴鏗鏘！
呵，是人類在痛哭？
那裡的管樂淒涼！

哦，地是我們底睡牀，
XIII 哦　天是我們底棺蓋。
我們有這奇麗安息之地，
何用往人間去尋找木材？

我們可以消溶悼古的哀念，
我們可以禁制希冀的情懷。
寡歡是我們底炊煙，
四野是我們底花叢！

148	墳 歌

白雪是我們底棉被，

玉露是我們底芳酒。

澄天是我們底晶鏡，

碧溪是我們底漱流。

星子是我們底小燭，

明月是我們底綠燈。

炎陽是我們底火爐，

迅雷是我們底琴聲。

XIV 我們更將江河當比膓胃，

更將山嶽當比高冠。

狂風是我們底氣息，

瀑布是我們底熱汗。

雜　　碎　　集　　149

暴雨是我們底眼淚，
森林是我們底毛髮。
人類是我們底病菌，
屋宇是我們底指甲。

我們底皮面雖像冷凝，
我們底內心長在燃燒！
像火山般裂開了心胸，
便有石漿向人間傾澆！

我們有宇宙，
不像人類的渺小；
人類底行為，
直挑引我們發笑！

15. 墳　歌

XV 剪　斷了美人底柔髮，
　　　截下了美人底玉手！
　休了吧，休了吧，
　我已經歌破嗌喉！

　奪取了美人底靈魂，
　捧開了美人底妖頭；
　算了吧，算了吧，
　我已經歌破喉嗌！

　我雖能歌，
　但只能歌拙劣的一首。
　停了吧，停了吧，
　我已經歌破喉嗌！

我所能唱，

我已經唱了所有。

請了吧，請了吧，

我已經歌破嚨喉！

....

你 不要臉的女人，
　今天也揭開你底面具？

呵呵，誰要留你呀，

你想去便去！

你去了，你負氣地去了，

我底可愛的小姑娘。

你瞧見我面對你時那般傲慢，

那里瞧見你去後我那般神傷！

152　　　　　　墳　歌

試問我有甚麼對你不住，
你要將我來這般侮辱？
唉，以前種種都休了，
破壞了的恩情不能復續。

唉，你前次把我決絕時，
我希望你還會回頭；
如今花瓣已辭枝，
往事呀不要回首！

我縱有萬種幽情，
憑誰領受？
我縱沒些兒怨恨，
覆水也難收！

雜　碎　集　　153

我縱有萬種怨話，

如今也不對你講。

記取孤月燭照時，

那泣訴的寒江！

人類便永是卑污，

人類便永是矛盾。

我已自羞落伍，

那敢累你沉淪？

我曉得我不能生活於人間，

他們總是跟我作對。

這滿天的黑雲呵，

那里去找祥瑞！

154　　　　　墳　歌

誰也是皮包着骨頭，

骨頭包着罪惡！

有一個這般高潔的你，

爲何又生個卑污的我？

我夜夜慘夢，

夢長恨更長；

就使有短短的幾個好夢，

也難慰我醒後心傷！

我不敢把你侵犯，

我那夜坐守你底牀畔。

你夢中的狂言，

更使我決心和幽靈作伴。

呵，你這般作弄我，

當初愛我是否出無心？

你狠心把我底命弦撕斷，

從那里去彈出怡悅的聲音？

倘若人是這般殘忍，

我願作報曉的鳴鷄。

倘若我受了苦痌，

我也好拚命呼喺！

苦雨呀苦雨，

你比人類還要情殷！

當一切都是陰晦，

獨你賜我以諧和的琴音。

156　　　　　　　　　填　　歌

我是在風雨肆虐的荒山中，

我是個迷路的小羊。

天呀你是愛育萬物，

為甚麼把我帶離了故鄉？

月下的情言，

燈前的默誓，

可憐一筆荒勾銷，

雖然我倆都未死！

我能一無悔恨？

我能一無怨尤？

情誓吐自她唇中，

怎可以把牠賣售！

雜　　碎　　集　　157

我中了愛情底毒箭，
我中了愛情底鋼鞭。
當頭有無限的苦難，
我不願匍匐到墳前！

我就切斷我底生命，
把牠獻給那偉大的光明。
我對一切都不悔恨，
我是從你手裏逃出的人！

我惟有對疾雨的天空長嘯，
我要銷鑠了我心中的寂寥！
我把那顆腐敗的心，
讓覺悟之火燒了！

158　　　　　　　　墳　獸

不會的，我不會心傷，

把一切枯朽的東西埋葬。

我仰望着我崇敬的太陽，

無言地挑起了我底行裝。

自然，我只是一個人，

我不能沒有懊喪；

但我有了新的生命，

將不在那塊地方徬徨！

將腐的鐵片放在火爐裏，

牠們會生出一種新的力量！

牠們將黏合在一起，

變成使人戰慄的純鋼！

姑娘，我愛過的姑娘，
請留心你自己，你自己，
他們把你看成玩物，
把你看成一堆漫柔的泥！

在真理底面前，
你將不是我底仇敵！
我望你還有向善的心，
雖然我們是分隔兩地。

這里我們可以免掉虛言，
這里我們可以拋開惡念。
前邊，前邊沒有好遠，
有個，有個人類的樂園！

160　　　　　　　　挽　歌

我可以殺掉你，

也可以殺掉自己；

讓大家底心靈去重生，

好趕到我們底前程。

不會的，我不會心傷，

把一切枯朽的東西埋葬。

我仰望着我崇敬的太陽，

無言地挑起了我底行裝。

　　　　　十九年勞動節卽　作畢，於南京。

黑色的手

羅　西

廣州有一位勇敢的姑娘，
我曾經做過她底朋友，
她有一對黃色的眸子，
有一對黑色的手。

162　　　　　　　黑　色　孻　手

她瞧不起人們底靈魂，

說"空虛是牠們全部所有；

"我將取得我底一切，

"靠了這對黑色的手！"

她不求人們底同情，

也不求人們底原宥。

說"世界果是進化，

"誰都有對黑色的手。"

她不訕笑，也不憐憫；

也不問旁人失意的原由。

"孩子，"她說，"起來吧，

"你只要去找對黑色的手？"

"那有甚麼幫助於你呢？

| 雜 | 碎 | 集 | 163 |

"你美麗，你溫柔，"

她向被遺棄的桃花說：

"卻缺少一對黑色手！"

"那有甚麼幫助於你呢?

"你聰明，你忠厚，"

她向苦悶者的少年說：

"卻缺少了一對黑色的手！"

"你要戲弄大海與鋼鐵，

"甚至要上帝變成小狗；

"或要宣洩宇宙的祕密，

"你只要有對黑色的手！

"我不曉得甚麼是成功，

"我只曉得一直往前走；

164　　黑　色　的　手

"宇宙將要永遠支撐着
"被全人類底黑色的手！

"你們對我如果有眞愛，"
她告訴所有的朋友：
"你們不要吻我底嘴唇，
"去吻我那對黑色的手！"

她是在革命底進程中死了，
她底臉並沒有囘向陣線後頭！
在追悼會裏她底畫像中，
我約隱地見她舉起了黑色的手！

　　　　　十八年十二月十二日於南京。

附 後 記 一 篇

後　記

　　這一集叫雜碎，是名符其實的；並非因為裏面有一篇這個東西。半年來對於文藝有一些不大重要的意見，都收羅在這里。新興文藝是一種還未確定的東西，裏面當然有許多問題要討論的。本書裏面我底個人底意見，與其說是我這樣主張着，不如說是我這樣懷疑着。所以我底目的一方面是想

166　　　　　　　　後　　記

引起讀者共同討論，一方面是想有人來指正我，告訴我我所不知的。不過在這里我要聲明，我底態度也許有很多不對的地方，總希望被我開罪的作者來原諒。本來這些東西沒有發表的價值，不過因為我既有所疑，也許還有好多讀者跟我一樣的，所以結果是發表出來了。這裏面的一切錯誤，我是準備着要隨時改正的。

　　詩，我以前寫了不少，不過現在都把牠們毀滅了。剩下的便是第二部裏的兩首。那自然不能代表我最近所走的道路，不過像好多人說過的，聊作紀念罷了。

　　還有另一個意思。

　　這本書可說是我底過去的創造生活底一個結束。我寫底作到了這本剛好是第十，在量底方面已將七十萬字，但在質底方面眞是一提起我就自咎。以前往往因為生活問題，胡亂塗寫的事不能說沒有，也許在這蕪雜混亂的出版界，竟會得到過份的寬容，但我依然替我底作品捏汗。

從舊的解放出來，當然不能全新。其中的拖泥帶水之處，在本書曝露無遺。我從前對於藝術，是一種近於無態度的隱晦態度的，這本書剛好代表了一種青黃不接的衝突。這是可紀念的一點，也就是說，可以做過去的創造生活底一個結束。

我新生了，我底創作新生了，我抓住了一種力量了。

十九年勞動節日·於南京·

新　書　出　版

沉痛的曝露	韓　起作近出
自殺前之工作	譚計全作近出
藝術與藝術家	史俊宣譯近出
良心的動物	克　農作近出
每日評論	高長虹作近出
經濟的帝國主義	古有成譯近出
民生主義社會建設之路	
	韓亮儔作近出

南京拔提書店印行

蔣介石先生言論集

　　蔣介石先生是三民主義唯一忠勇的戰將，他的言論，實足以爲一般黨政工作人員的圭臬。尤其是本黨的武裝同志，不可不朝夕研究，用做行動的軌範。本書有演說詞，通電，書扎，宣言，報告等，凡散見於各報及雜誌者，皆搜羅無遺；間有各報不曾發表者，尤爲可貴。內容印刷精美，排目清楚，收藏檢查，俱稱便利。

民國十九年言論集
　第一集　　（三　　角）
　第二集　　（一角二分）
　第三集　　（一角六分）
　第四集　　（二　　角）
　第五集　　（二　　角）
　第六集　　（二　　角）
民國十八年言論總集
　上　　集　精裝（一元）
　　　　　　平裝（五角）
　下　　集　精裝（八角）
　　　　　　平裝（四角）

歐洲革命史

高晶齋編　　實價九角

本書共分十章，約計二十萬言，自十六世紀尼載蘭地（荷蘭及比利時）革命，述至大戰後歐陸各國革命運動，著者特別注意各國革命發生的實際背景，及其中革命力量的關係和作用，避去不關痛癢涉及個人的革命軼事。

改組派的檢討及汪精衞理論的批評

賀君山作

（實價三角）

改組派至今日，眞面目已經完全顯露，大都知道是怎樣一回事。不過他們的理論，尙有一般人未盡明瞭。本書爲賀君山先生精心思慮之作，把改組派及汪精衞先生所曲解三民主義的地方一一指出，加以客觀的批評；更將改組派的構成，政策，及其出路說出。可作本黨忠實同志之參考，可作迷途者之當頭棒。

青年之培植及救濟

鄧文儀著

實價二角五分

本黨三民主義革命進程中，青年問題是多麼重要呵！現代青年的一切徬徨，迷茫，煩悶，悲哀以至自殺種種現象，自然都是社會的病態。本書卽對此種病態加以精細的診斷，而附以救濟的方案。凡本身是青年的，此書固應必讀，卽留心青年問題者，亦可以在書中找到一個有力的幫助。

鐘 手

羅 西 作

實價五角

這是作者一本最能動人，最有精彩，而又最小心謹慎的短篇小說集。收進死屍，家蓉姑娘，拐子，責罰的理由，掠奪，鐘手六個短篇。是作者一九二九年的總成績，讀者會在這裏面找到陌生的然而可愛的靈魂，並且會感到自己以前對人生太忽視了。

人類的藝術

向培良作　　實價五角

　　培良先生一向以戲劇和小說兩方面的成就被讀者深悉。可是有很少的讀者會對於他的藝術理論有正確的認識。這本書選印了他的幾篇重要的論文，裏面的『人類的藝術』尤足代表他最近的主張，讀者可於此正確地看出他的見解，而得到不少的益處。

花木蘭文化事業有限公司聲明啓事

　　此次《民國文學珍稀文獻集成》出版，有賴各位作者家屬大力支持，慨然允贈版權，遂使這巨大的文化工程得以開展。本公司全體同仁在此向各位致以誠摯的謝意！

　　由於民國作者人數眾多，年代久遠且戰火頻繁，本公司傾全力尋找，遍訪各地，能夠找到的後人，得其親筆授權者，爲數甚寡。更多的情況是，因作者本人下落不明，連版權情況都無從知曉。

　　因此，本公司鄭重聲明：

　　此叢書所錄專著，凡有在版權期內而未授權者，作者家屬可與本公司聯繫，本公司願奉送相關贈書 50 冊爲報酬，補簽授權協議。

　　望家屬看到此通知後與本公司聯繫。聯繫信箱：hml@vip.163.com

花木蘭文化事業有限公司